君還記得我否

亦舒

天地
www.cosmosbooks.com.hk

書　名　君還記得我否　作　者　亦　舒

出　　版　天地圖書有限公司
香港皇后大道東109-115號智群商業中心十三字樓
電話：25283671　傳真：28652609
香港灣仔莊士敦道三十號地庫/一樓（門市部）
電話：28650708　傳真：28611541
九龍尖沙嘴彌敦道74-78號文遜大廈2樓2A（門市部）
電話：23678699　傳真：23671812

印　　刷　亨泰印刷有限公司
柴灣利眾街德景工業大廈十字樓
電話：28963687　傳真：25581902

發　　行　香港聯合書刊物流有限公司
香港新界大埔汀麗路36號中華商務印刷大廈3字樓
電話：2150 2100　傳真：2407 3062

出版日期　二OO九年四月/初版・香港

（一）

陸地上發生破壞性地震時，山崩地裂，房屋倒塌，人畜傷亡，美麗城鎮在頃刻之間化為一片瓦礫，十分悲慘。

臨震前，一般可以聽到由遠及近，像悶雷一樣的轟雷聲，又似一列火車經過，而人似臥在路軌之上，有時也可以看到地下耀出七彩地光，紅白黃綠紫都有，一些似帶狀，一些似火球。

動物對地震很敏感，臨震，會表現出驚惶不安的異態，像雞飛上樹高叫，魚躍水面惶跳，豬不吃狗亂咬，這些，都是先兆。

實際測量中，地震越大，震級數字越高，每差一級，通過地震釋放的能量級差三十倍。

十級災難性地震使堅固建築物遭到破壞，土地變形，管道破裂，石土大量崩滑，地層斷裂，景觀改變。

雲省林縣就發生了一場這樣大災難。

第一批軍隊及救護人員趕到現場，都說像去到地獄一般。

全部建築物已化為瓦礫，人畜活埋，存活的人剎那間失去所有，不是蹲着痛哭，就是呆若木雞。

軍隊在餘震危險中不眠不休救亡。

到第三天，經驗告訴他們，奇蹟不是沒有，但是埋在地下的人存活機會已經渺茫。

他們開始聞到臭味，接着，整個空氣就是瀰漫着死亡味道。

在軍用帳篷內，灰頭灰臉的記者群焦急等待消息，叫他們灰色的不止是惡劣淒涼心情，而是塌下樓房塵土。

一個女記者輕輕說：「據一個老人說，地震之前，他看到成千上萬青蛙過馬路。」

「有個大媽說，井裏水位升降大，翻花冒氣泡，有的變顏色，有的變味道。」

「這不都是先兆嗎？」

另一個記者說：「我肚餓，誰還有帶來的熱能餅乾？」

「都已吃光光。」

「問軍隊要糧食。」

「你好意思添亂！」

不料這時已有年輕軍人捧着一大盒即食麵進來，交到記者們手中。

「不用這麼多——」嚅嚅道謝。

接着，軍人又放下一壺熱水給他們泡麵。

大家蹲下就這樣吃起來。

這批由大城市趕來採訪的記者從大學新聞系畢業迄今還是第一次看到這種末日般場面，這個經歷改變他們一生。

他們在營幕裏睡袋休息。

第二早，天甫亮，有人叫醒他們：「找到生命跡象！」

記者翻滾着掙扎爬起，用水漱口，奔出去採訪。

他們顛簸地走足十來分鐘，看到大隊救護人員在瓦礫底抬出一具具小小軀體，均用濕布蒙着頭臉。

他們聽到呻吟聲。

活着！

記者不自覺流下眼淚，想趨前，被軍人攔住。

「挖到什麼？」

「好像是一間幼兒園，已經找到十多名三至五歲孩子。」

「可有大人？」

「沒有。」

「多少生還？」

「奇蹟，全部生還，醫生說，有三名或要截肢。」

那邊有人叫：「底下還有，我下去。」

記者在晨曦中屏息等候。

不久，看見一個小小軟綿綿身軀被人自坑內托起。

啊，已無生命跡象，泥灰色小小四肢像破娃娃一般輕輕搖晃。

有記者淚流滿面。

那軍人自坑內爬出，看到情形，不禁頹然。

這時，忽然發生一件奇事，那娃娃驀然睜開雙眼。

大家一愣，歡呼起來。

但是他們隨即感到地下震動，人人站不穩跌下，餘震再來，他們慌忙走避。

雲省林縣十級大地震，死亡人數近六萬。

災區孤兒，約有五千名，大部份有親人認領，不能辨認身份的只屬少數，軍方決定替他們在身體較隱蔽之處做一個小小紋身記認，以免走失或遭到拐賣。

軍營野戰醫院由一位姓申的女醫生主持。

她一直留到災難發生後一年。

這一年工作十分艱辛，她都可以樂觀、堅毅地帶領手下熬過，取得成績。

一個秋日，陽光十分好，天氣乾燥，申大夫走到廣場，看到一個小小人獨自坐在長櫈上看風景。

「林瓊，」她叫孩子：「過來。」

看護回答她：「林瓊仍不說話。」

申大夫惻然，「可會哭？」

「很乖，從來不哭，也不像其他孩子那樣怕黑。」

「檢驗報告怎麼說？」

「一切正常，如有巨響，她會抬頭注視，但是言語這回事，她如果不加以練習，長大很難流利說話，我們下月即將撤退，這小女孩——」

林瓊這個名字，由申大夫建議，林縣是孤兒家鄉，瓊是美玉的意思。

「小瓊可有朋友？」

「都嫌她小，又不會講話。」

「始終沒找到親人——」

「正確，真可憐，身上什麼也無，口袋裏，找到一對玳瑁髮梳，可能是母親百忙之際交給她。」

「給她留着。」

「明白。」

申醫生看着那小小瘦削身形。

「有一對金國夫婦願意領養小瓊。」

申醫生不以為然，「兒童是一個國家最寶貴財產。」

看護握着小瓊的手，把她帶到醫生身邊。

「小瓊，申大夫同你說話。」

申醫生輕輕說：「小瓊，過些日子，我要離開林縣，你可願意跟我走？」

連看護都感意外。

申醫生說下去：「你就在軍隊裏長大吧。」

小瓊凝視申大夫，雙目晶瑩，她忽然點頭。

看護輕輕說：「美人兒，自幼就看得出，這雙眼睛裏，彷彿另有一個世界。」

大夫說：「軍隊有子弟學校，你跟着他們寄宿學習鍛煉身體。」

申醫生即時替林瓊辦理手續。

小瓊在軍人子弟學校平安無事一直讀到初中。

她身量已經長得像大人一般，發育良好，比一般女孩稍高，臂腿細長，十分漂亮。

十三歲的她仍然不願開口講話。

同學們時時好奇：「瓊的聲音會否悅耳？」

「也許嘶啞，故此不開口。」

「有些幸運的人聲音煞是動聽。」

「通常是自然、大方、感性，略為低沉那種。」

「有沒有誰聽過瓊的聲音？」

大家搖頭。

與瓊比較接近的同學對小瓊說：「你要是決定說話，第一句要對我先說。」

小瓊的功課成績普通，各科均平常，分數徘徊在2級以下，每年申醫生讀到她的報告，都有點沉吟。

「這個孩子沒能從陰影走出。」

「有無特殊興趣：弈棋、畫畫、作文、體操、數學？」

「都欠專心。」

「十三歲了，應當知道喜歡什麼。」

「有一件事是明顯的，她不允保母修剪長髮，會護着辮子，嗚嗚作聲。」

「隨她去吧。」

「唉，她心靈創傷無法彌補，憑軍部通天本領，竟找不到小瓊任何親人。」

申醫生躊躇一會，終於說：「明天星期日，叫小瓊來見我。」

星期天一早，保母特地叫小瓊洗頭，在陽光下替她梳長辮，把玳瑁髮梳別在她鬢邊。

「今天，」保母溫和地說：「是聊天好日子。」

瓊仰起頭，略張開嘴，又合攏。

保母帶她到申醫生宿舍，走進書房。

這還是小瓊第一次到訪，她一眼便給牆上大掛圖吸引，走近，觀看良久。

那不是一張普通地形或地勢圖，而是軍隊專用，部隊駐紮地點圖。

申醫生走近，輕輕說：「藍點是醫療部隊，通常位在地勢隱蔽地方，明白為什麼嗎？」

小瓊點點頭。

她用手指出隊伍與醫院連帶關係。

申醫生意外。

她讓瓊坐下，把一盒糖打開，放到她面前。

瓊忽然把糖排列出地圖上軍營的位置。

「你對軍事策略有興趣?」

瓊又點頭。

申醫生覺得教師太過粗心，這樣明顯的興趣都沒留意到。

「小瓊，你可願意說話?」

瓊不出聲。

「今天，我有一件事與你商議，不過，你必須開口示意。」

瓊忽然垂頭。

「小瓊，我猜想你心裏還未忘那次地震慘劇。」

瓊的臉越來越低。

「心理醫生說你已忘記當日情況，可是你似仍然埋在黑暗瓦礫底下，無法走出，這個障礙，左右你生活及學習，長遠也影響你成長。」

瓊忽然看住申醫生。

「軍隊醫療組有一項實驗，可以幫到你，使你自陰影走出，你可願意接受？」

瓊的雙眼閃亮。

「我們會用手術除去一些組織，也添加一些資料，我有把握，手術相當安全，你可願意參與？」

小瓊忽然回答：「願意。」

語音稚嫩，如一個五歲孩童，但清晰肯定。

申醫生不禁雙眼濡濕。

「你為何一直不說話？」

小瓊想一想，「沒有需要。」

申醫生輕輕說：「手術後你會有信心，添動力，增才能。」

「忘記父母？」

「不，不是忘記，而是接受父母離世的事實。」

瓊說：「明白。」

「那麼，我去安排這項實驗，小瓊，在這段時間，你隨時可以提出相反意願。」

小瓊點點頭。

申醫生說：「現在，你可以回學校。」

過不久，小瓊開始學習西洋劍擊射擊及詠春拳，又加重英語科目，下課後，有專人教她弈棋，以及朗誦孫子兵法：作戰、謀攻、形勢、虛實、軍爭、九變、行軍、地形、火攻、用間……

但林瓊不是優異生。

教師們微笑說：「秀麗無匹的女生很少成績超卓。」

而男同學已經開始注意到小瓊精緻五官，窈窕身段。

申醫生向助手說：「小瓊天天穿寬鬆校服衣褲，戴軍帽，收起長髮，不施脂粉，同數百名其他同學完全一模一樣，可是你看，男生到了年紀，像熱能追蹤彈頭，總能找到目標。」

助手笑。

「地球生物構造如此單純，小小微不足道的螢火蟲為何發光？並非為着照明尋路或是找食物，而是要吸引配偶，繁衍生命，它體內兩種分開儲藏的化學物質在必要時混和，產生光合作用，如此精密裝置，凸出身份，追求異性。」

助手說：「適者生存。」

「人類是想太多了。」

「小組要努力替林瓊設計裝置配件，大夫你有什麼要求？」

中醫生毫不猶疑答：「堅毅、勤學、勇敢、寬容。」

「明白。」

「小瓊最近學習情況如何？」

「仍然迷惘。」

中醫生嘆口氣，「提早做矯正手術。」

「中大夫，我就想：下一世紀，這種手術會否普遍實施，矯正人類性格弱點？」

申醫生微笑：「什麼人願承認他性格上有缺憾？」

助手不再言語。

手術在翌年進行。

林瓊被推進手術室，麻醉，三小時後醒轉，病床邊只有申醫生。

小瓊忽然微笑，「申醫生早。」

「小瓊，你早。」

她雙眼閃出活潑晶光。

申醫生即時知道手術成功，她淚盈於睫，「小瓊，祝你十四歲生日快樂。」

實施這項絕密手術之後，林瓊性格有極端轉變，三日後出院，她步伐輕快，笑容可愛，凡事主動，最顯著是學業進步，迅速躍升，一年內跳三班，提前畢業，升入軍事大學。

她對軍事策略尤其感到興趣，擅長簡單巧妙安排，取得上風，百戰百勝。

她正式加入軍隊，自下士晉級。

十六歲那年，隨軍隊出發協助吉魯國獨立，因她的建議，聲東擊西，援助整旅軍人出險。

她上司這樣說：「對於戰略，林瓊料事如神。」

瓊則說：「孫子曰：知彼知己，百戰百勝。」

「瓊，自知之明，的確非常重要。」

一日他們在會議室看一段錄影。

國際新聞網絡訪問以色列軍隊：片段出現一個金髮妙齡女士，笑容如一朵花，嬌滴滴聲音：「我是達揚上尉，以國人口不多，男丁因此不足，女子從軍已相當普遍，今日，我示範如何駕駛坦克，對，我是坦克教練。」

只見她對記者說：「上來。」玉手招一招。

那男性記者暈頭轉向，靈魂失去依歸，匆匆爬上坦克車，坐到金髮女郎身邊。

大家都笑起來。

他們問林瓊：「林少校有什麼意見？」

「那是金國記者？為何如此輕狂失態？」

「金國民風如此。」

瓊定一定神，「以國訓練女將十分成功。」

「我國成績也不遜色。」

瓊靜靜等待下文。

她仍然沉靜，專注凝神之態宛如一尊瓷像。

「林少校，現在要派你往蘇丹訓練女兵。」

林瓊站起敬禮。

三年內她東征西討，升至上校，很快軍隊忘卻她年齡性別，只餘欣佩敬仰。

林瓊特別專注研究金國地理科技、風土人情，她撰寫的報告，深受外交部重視。

好幾次與金國談判僵持，於是嘗試採用林上校分析，都取得進展。

一日，林上校在辦公室，忽然覺得疲倦，走近窗外，看向廣場。操場上新兵操練，步伐整齊，趾高氣揚。

林瓊驀然低聲說：「我該退役了。」

同事聽見，十分訝異。

林瓊說：「我有點累。」

另外一個同事匆匆走進，「上校，我們無意得到金國聯邦調查組電腦檔案密碼。」

無意？

林瓊忍不住微笑，「那多好。」

只要努力，一定會得到意外的效果。

「可是，人家也不是吃素的，一發覺有駭客入侵，立刻關閉全場，全面檢討。」

瓊不出聲。

「雖然該調查局的資料不算絕密，但是它覆蓋層面十分廣泛，權力驚人，值得研究，它相等於極權國家的秘密警察。」

瓊想一想，「中情局方是秘密警察。」

「瓊，你對金國已有相當瞭解。」

「哪裏，我並非人文學專家。」

「告訴我們你的心得。」

兩個同事坐下，預備聊天。

「大家還是繼續工作吧。」

「午餐時分，不妨鬆弛。」

瓊想一想說：「金國民風自由散漫，已達道德淪亡程度，男女關係尤其隨便，互聯網無法無天，律法鬆懈，毒品氾濫……」

「瓊說得對，可是，我表兄下個月將移民金國。」

「我也想去觀光。」

瓊陷入沉思。

同事識趣走出她的辦公室。

瓊早已鍵入金國聯邦調查局檔案，讀得十分仔細，她並不採取總機密碼，說是電腦，可是資料仍由人手輸入，瓊在資料未到終端機之前截獲。

瓊因手寫重要文件照舊例鎖進鋼櫃，心理上略覺安全。

在調查局成千上萬的幹探中，瓊特別注意一個人。

那人叫榮大洋，他不過是一個小組長。

瓊無意中看到他在大學對犯罪學學生講課。

粗眉大眼的他穿一套深色西服，帶書卷氣的臉容肅穆，詳細為學生解答問題。

瓊一向覺得金國男士個個以風流債主自居，三歲至八十歲統統是狂蜂浪蝶，她從未見過榮大洋這般端莊矜持的金國男子。

數次演講，他言中有物，態度誠懇，但不露一絲笑容。

她查他的履歷。

啊，她不禁動容。

原來他是一個鰥夫。

好奇心一起，無法抑止，瓊搜查閱讀榮大洋一生資料，她甚至知道他有幾個銀行戶口、車牌號碼，以及在什麼地方理髮。

金國市民的一生都記錄在電腦上。

她喃喃說：「榮先生你彷彿比我還要寂寞。」

瓊上校像是在互聯網上尋找筆友的少女，每天鍵入看榮大洋有否新消息。

但是與聯邦調查局有關密碼已經全部更改。

瓊有點坐立不安。

宋准將傳她說話。

「瓊，我要派新任務給你。」

「准將，我想申請退役。」

「廿歲出頭退役？軍隊沒有這樣例子。」

「那麼，派我到金國。」

「金國，何故？」

「做一個報告。」

准將微笑，「瓊，我一向重視你意見，但是，那是一個什麼樣的報告？」

瓊隨口答：「金國紀律部隊的風氣。」

「嗯，何需你親自執筆？」

「聯邦調查局有一個小組，叫罪犯心理學研究組，我想會得有益。」

准將詫異，「那只是一個維持地方治安的紀律部隊。」

瓊不語。

她一有空閒便會想起那濃眉大眼，從來不笑的小組長。瓊還喜歡他高大身形，碩健肩膀，她渴望與他見面。

「你想去多久？」

「三個月已夠。」

「你先去見一見申醫生。」

「遵命。」

申醫生不以為然，「小瓊，你不適宜獨自前往金國。」

瓊忍不住笑，「申大夫你的語氣像把我當十六歲離家出走少女。」

「你比她們好不了多少。」

「我是一個上校。」

「那是你的軍階，無疑你是軍事天才，可是在別的事上，你像低能兒。」

瓊不禁氣餒，「我研習金國人文已有一段日子。」

「是以你要出外探險。」

「大夫，我經過槍林彈雨。」

「瓊，你對人心陰險，一無所知。」

「我認識解往海牙軍事法庭的甲級戰犯。」

大夫看着林瓊，忽然輕輕問：「是因為一個人嗎？」

瓊即時漲紅面孔，「怎麼可能。」她連耳朵都燒得透明。

「你先回去。」

「大夫。」

「我會鄭重考慮。」

瓊回到辦公室，打開筆記本子，像小女生一樣，紙頁裏夾着自電腦打印所得榮大洋的照片，質素欠佳，可是清晰看到他皺着的濃眉。

真奇怪可是，喜歡一個人，毫無理據可言，榮先生住在八千哩以外的金國，瓊卻對他傾心，連他的聲音都覺得動聽。

瓊還注意到他右眼下有一顆痣，左頰有酒渦，他的牙齒並不十分整齊，他永遠梳整齊短髮，穿深色西服，配深色領帶與長袖白襯衫，他手背上有汗毛，他戴着手錶，還有，尚未除下結婚戒指。

偶然一次，他脫下外套，瓊忽然看到他胸膛輪廓，瓊突生綺念，她面紅耳赤。

瓊似一個超級影迷，追蹤偶像一顰一笑，絕不放鬆，但是對方卻不知道有她這個人存在。

瓊甚至做夢看見他。

一間寢室，他背着她更衣，脫下極薄的白襯衫，露出叫異性深深吸一口氣的寬厚肩膀與手臂，腰身收至一個V字，瓊在夢中睜大眼睛，希望他轉過頭來，但是沒有，他始終背着她。

這時夢也醒了。

瓊甚至大膽地想：與這樣一個男子接吻，是什麼滋味。

她希望他的大手會捧起她的臉，不容她掙扎，深深吻她。

她決定到金國找榮大洋。

她再去見申醫生。

「准將要我對你作心理評估。」

「如不允退役，我想放假。」

「到金國放假？你對金國有相當認識，你不是想去那裏參與社交活動吧。」

「我想觀看世界。」

「你叫我想起那叫人惻然的人魚公主。」

瓊微笑不語。

中醫生嘆氣，「對不起瓊，我總把你當小女孩，你去金國休假也是好事，我替你安排行程。」

瓊只覺得她的心咚咚跳起來。

同事對她外遊一事表示訝異。

「瓊，你的特殊身份，他們一查即知，他們會起疑：堂堂一個上校，到調查局當步兵，有什麼企圖？」

瓊不出聲。

「你有什麼企圖？」

瓊不由得輕輕說：「因為一個人。」

同事深深吸進一口氣，「什麼人那麼偉大？瓊，這些年來，你從來不看異性。」

「一個人。」

「你口氣似迷醉少女。」

「是，我承認。」

「你們在何處相識，蘇丹？他也是軍人？」

瓊回答：「我們從未見面。」

同事瞠目，「你發瘋，瓊上校。」

瓊只抿一抿嘴，「我渴望愛人與被愛。」

同事惻然，「我祝你快樂。」

瓊已開始收拾行裝。

她猜想榮大洋會喜歡服裝端正的女子。

不不不，她又躊躇，沒有男性會喜歡穿着保守的女人，他們只想女人為他一人暴露，在別人面前保守端莊。

啊，估計異性心理是世上最痛苦的事。

結果，她選購好幾套深色西服長褲與白色襯衫。

同事囑她攜帶本國裝備：電子用具、槍械、避彈衣……

「金國擅長吹牛，實則上並不比我們先進，他們全民配槍，你最好全時間穿着避彈衣。」

瓊上校的避彈衣薄如蟬翼，貼身如一件內衣，以特殊金屬製造。

瓊問：「跳舞也穿着？」

同事大驚，「瓊，你打算跳舞？」

「我已向康樂組學習。」

「瓊，不要下舞池，金國男子雙手不規矩。」

瓊掩住臉笑。

「呵瓊，你此去是去獵奇。」

「不，我去寫報告。」

「瓊，你是上校，你知道規矩。」

「是，我全知道，」瓊深深嘆氣，「什麼都要批文，標準，丁是丁，卯是卯，誰要訂婚，上頭代你調查對方歷史背景履歷……」

「瓊，這是軍隊。」

瓊微笑，「是我唯一知道的家。」

「可憐的瓊。」

「誰要你同情。」

「這樣好看的林瓊，我見猶憐。」

「你在寫章回體小說：卿需憐我我憐卿。」

「瓊，以你的修養，在金國不易找到朋友。」

「朋友無分貴賤。」她意猶未盡。

「你還有話要說？」

瓊輕輕討教，「你已婚，我想問你幾個問題。」

「有關男女？我並非專家，至今不知我的夫君腦子裏想些什麼，時時爭吵。」

「不，不是抽象的問題。」

這時助手進來，「上校，准將請你。」

同事說：「今晚七時，邀你到我家吃素餃。」

瓊點點頭。

辦公室已有人客在等她，准將介紹：「瓊，這是加茲少校，他有事請教你。」

加茲與瓊握手，「上校，塞國與薩國宣戰，海陸空包圍，已有近千人死亡，聯合國急欲出兵調停。」

瓊靜心聆聽。

「這項戰事十分複雜：薩國本屬塞國，十年前宣佈獨立，可是其中一個省份奧狄泰不願依歸，傾向塞國，獲得塞國支持，故此向薩國開戰。」

這是典型兄弟鬩牆，為外人所乘的例子。

「我想在手下挑幾名優秀分子前往薩國調解維和。」

准將問：「瓊，你可願帶兵？」

瓊不出聲。

「那麼，請你明早到加茲少校那一旅，協助選拔人手。」

加茲吁出一口氣，「手下漸成少爺兵，同我們那一代是不能比，糧草包括巧克力、牛油餅乾、口香糖。」

「全球都好似要同金國學習。」

瓊站起告辭。

加茲看着她窈窕身形，「人人說林上校是國寶，既受看又能打。」

准將說：「她要求休假。」

「國寶也是人。」

晚上，瓊到同事家吃餃子。

同事有一對妙齡女兒叫常忠與常清，對林上校說：「你有什麼關於約會疑難，可與我們談。」

同事夫婦說：「真的，她們才知道最新市場發生些什麼事。」

市場，林瓊不禁好笑。

瓊坦然請教：「聽說，第一次約會不宜接吻。」

兩姐妹對望一眼，心想，這位軍中聞名的上校，竟問出如此幼稚問題，但也不得不答：「第三次見面才可輕吻晚安，這是多年規矩，不是故意矜持，而是至少給時間了解對方有無某些疾病。」

「啊。」

常清訝異，「瓊姐，你彷彿十分無知。」

常忠卻說：「千萬不要即晚跟任何人回家，或是把任何人帶到家中，危險。」

「這我明白。」

「多聊天接觸瞭解對方。」

瓊天真地問：「要是很喜歡他呢？」

「肉體吸引是一定有，但不可縱容。」

兩個小妹妹似經驗豐富，言無不盡，忠誠回答所有問題。

常忠說：「金國風氣邋遢，有什麼濕T恤比賽，鬥快在酒吧勾搭異性之類玩藝，瓊姐你千萬勿參與。」

瓊笑答：「那當然。」

這時常清輕輕推常忠一下，「媽媽叫我們說——」

「說什麼？」

常忠說：「記住，一定得記住，每次都要用安全套。」

林上校臉上露出為難的神色。

常忠叮囑：「必需品，我手袋裏永遠有存貨。」

林瓊請教：「什麼時候拿出來？我看過許多金國製作電影，男女談情都沒有這一環節。」

「電影害人，嫌這個動作不夠浪漫。」

常忠說：「瓊姐，你可以這樣悄悄問：『我們有安全套否』？」

「我們？」瓊莫名其妙，「是他用，不是我用。」

「唉，瓊姐，『我們』是表示你支持他，同一陣線。」

「嗄。」林瓊駭笑。

「如果他有準備最好，否則你就說：『我這邊有哩』，不要怕難為情，金國國民五人中有一人患疱疹，無藥可醫，屆時更不好意思。」

瓊虛心受教，「是，是。」

三人行，必有我師焉。

常忠說：「漏了這一環節，保不定染上伊波拉。」

常清更正：「伊波拉不是性病。」

兩姐妹吵起來。

林上校得益匪淺，十分科學及理智地在心中練習台詞：我們可有——忽然臉紅。

「瓊姐你幾歲？」

「我大齡，快廿六歲。」

常氏姐妹大吃一驚，「呵哎，只比我們大幾歲而已。」

她們母親走近，「比起瓊姐，你倆是白癡。」

常忠不服，「瓊姐是約會白癡。」

那母親說：「瓊你像那種十二歲進大學的天才兒童，找不到朋友，生活寂寞，瓊，你若不嫌棄，以後常來我家與這兩個無知少女做伴，倒也解悶。」

瓊羨慕，「這個母親真開通文明。」

不料觸到同事舊患，她忿忿不平的說：「那是因為家母堅決認為女體罪惡，經血污穢，性事不可提及，生育則是罪孽，第一次見到身體流血，我嚇得以為死神降臨，故此常清常忠九歲時我已帶她們到藥房瞭解衛生產品。」

兩姐妹不住點頭。

「許多家長覺得難為情，喂，人體結構如此，如何逃避？我們說起心臟構造，可會難以啟齒？大動脈大靜脈，左右心房與心室，其餘器官亦應一視同仁，骯髒的觀念不知什麼時候才改得過來。」

瓊想一想，「也許是防少年濫交吧。」

「那更加要正視該方面教育。」

常清把母親推開，「媽媽，做些甜品給我們。」

常忠問：「瓊姐喜歡什麼樣的男子？」

瓊笑笑，「你呢？」

常忠十分理智，她一早已經肯定：「他必須愛我，否則，條件再好，有什麼用？」

少女這兩句話如醍醐灌頂，瓊頓時明白。

常清則說：「要能叫我笑，生活裏笑聲不可少。」

瓊脫口問：「外形呢？」

「我們學校男生一般相當高大英俊，體育員尤其好看，我並不刻意挑選某類型，最好是有一雙明亮的眼睛啦，富生活情趣，有幽默感。」

瓊像上課聽教的學生一般，不住點頭。

「瓊姐你可有男友照片？」

瓊忍不住打開皮夾，把照片取出給朋友觀看。

兩姐妹意外，「啊。」

瓊看着她倆，等待反應。

「好像是中年人。」

「頭髮為什麼那樣短，是平頭嗎，臉色陰沉。」

姐姐推妹妹一下，「雙眼很神氣。」

「是，是，十分英偉，身形高大，不過，西服式樣古老。」

瓊笑不可抑，可見她那樣鍾情的榮君，在別人眼中，不過是常人。

這一次家訪得益匪淺。

瓊告訴自己：已經決定的事，不能回頭了。

她不由得緊張，他會喜歡她嗎，他是否難以相處，他的舊傷可有痊癒……

第二天，她一早便裝抵達加茲少校辦公室。

他說：「上校，十分感謝你出席，請坐後角，替我評分挑選人手。」

他請她到會議室，瓊先推門進內。

她悄悄坐後座，但是軍裝年輕男子已竊竊私語轉頭看她。

瓊垂低雙目。

不一會加茲少校進場，整間會議室靜寂。

大型銀幕降下，他們看到一場激烈模擬巷戰，像精美電子遊戲機戰爭。

播放完畢，加茲問：「有何意見？」

下屬紛紛提出意見。

忽然有人說：「請再播一次地勢圖。」

他站到前邊，用手指出：「為什麼我方在迷宮裏兜兜轉轉，在瓦礫與窄巷中糾纏？」

有聲音答：「因為這是民居，婦孺眾多。」

「可是我方假設陣亡人數已達一百二十七人。」

瓊這時抬起頭，她發覺他是一名上尉。

那個年輕軍人繼續發言：「從這裏發射迫擊炮，透牆而過，可狠擊敵人巢穴，既然一早知道他們匿藏該處，不可遲疑。」

「我方缺乏時間疏散平民。」

上尉不以為然，「這是打仗，沒有不殘酷的戰爭。」

大家驚嘆。

那上尉長相俊朗，嘴角緊閉，心意堅決。

瓊默不出聲，靜靜離開會議室。

她在辦公室等待加茲。

三十分鐘後加茲回轉。

瓊問：「你挑選了什麼人？」

加茲把名單遞上。

「那個上尉為什麼不在名單上？」

加茲驚訝，「他不適合，他——」

「你此去是請客吃飯？你嫌他冷血？你真去維持和平？」

加茲愣住。

「速戰速決，狠狠打擊教訓，叫塞國與薩國立即停火議和，否則更大教訓會接踵而至。」

加茲看到那年輕秀麗的女子目光忽然淩厲，炯炯注視他，他只得說：「明白。」

「你們都穿裙子？」

加茲尷尬，這是指他有婦人之仁。

「我從軍多年，印象最深刻是揹着七十磅裝備在泥濘裏行軍，最好同伴在我身邊受到路邊炸彈碎片擊中，她倒地之際只有『噠』一聲，動也不動，像一袋大沙包，並無滾動掙扎，當然也沒有遺言，因為腦袋已被削去一半，這是半日前還同我說退役要厚厚搽上鮮色口紅的同伴，該剎那起，我明白到，不是敵死就是我亡。」

「是，上校。」

「你要我選人，我已完成任務，再見。」

加茲向她敬禮，她還他一個。

瓊嘆口氣，回轉崗位。

她的申請文件批出，瓊得到三個月時間。

申醫生說：「我稍後也出差金國。」

「是，保母。」

「不是我，瓊，你的保母是大使夫人。」

「我毋須任何人守護。」

「瓊，我有任務在身，我不是去監視你，我此行要與金國醫生交換學術意見。」

「我完全瞭解。」

中醫生微微笑，「瓊，我視你如女兒。」

「那麼，游說准將讓我退役。」

「空下來做什麼？」

瓊答：「我並無憧憬，也不懂惆悵，我似乎缺少這種高境界的層次，但是我已厭惡殺戮，如果退下，我希望做文藝工作。」

「那又是什麼？」申醫生意外，「寫作？」

「繪畫。」

「藝術家？」

「我希望作品越多越好，又為群眾服務才最理想，我不要做那種三十年才得一件作品，餓着飯渺茫地等百世流芳的畫家。」

申醫生笑，「你倒是個明白人。」

「大夫，我如可再世為人，那就理想。」

申醫生看着瓊不出聲。

「祝我順風，大夫。」

「准將還要同你講幾句，此行也不能白去，他要你寫幾個報告。」

「我知道。」

這時有人進來說：「上校，消息傳來，薩塞兩國，一邊議和，一邊厮打，毫無誠意。」

瓊一點表情也無，這一切都在她意料之中。

兩個國家打了五十年不願休戰如以巴兩國，唯一原因是好戰，戰爭似成習慣，再也不願靜止。

瓊終於吁出一口氣。

申醫生似送女兒出國讀大學，不住叮囑：「切勿喝酒，駕車小心，晚上不要出外，不可乘搭順風車，男人若毛手毛腳，用詠春拳應付，緊急事聯絡大使館，不能托大……」

（二）

榮大洋一早回到辦公室，六時五十三分，他開始寫報告，他仍然用一支學生鋼筆，端正書寫，法律系出身的他對措辭十分小心，文字絕對優秀。

八時三十分，他的秘書上班，九時正，同事們紛紛報到，抱怨辦公室空氣調節溫度太低，有人帶着早點到茶水間匆匆補充能源。

換句話說，這一天，同所有每一天都一模一樣。

秘書這時走進他房間，「榮先生，造物主要見你。」她雙眼瞄一瞄天花板。

榮大洋一怔，「頂樓？」

「是，榮先生。」

「現在？」

「是，榮先生，她沒有說什麼事，只是請你立即上去。」

榮把桌上雜物收拾一下，將寫好的報告遞給秘書。

他扣好上衣鈕扣，到走廊乘搭專用升降機。

手下朱佳看見他，意外地問：「造物主找你？」

榮點點頭。

朱佳喃喃說：「願你的國降臨，願你的旨意行在我們小組。」

榮不理會，他走進升降機直達頂樓。

立刻有助手迎出，「榮，這裏。」

他走進會議室，看到頂頭上司華生太太已在等他。

他說聲早。

「大洋，你坐。」

這華生太太早些時候一定相當漂亮，如今五十出頭，輪廓依舊在，不過，榮大洋從未見過她笑，公平交易，她也從未見過榮的歡容。

做他們那行，真的笑不出。

「榮，這是一個重要任務，勞駕你。」

榮大洋揚起眉毛，什麼事？這幢大廈是聯邦調查局總部，華生是副局長之一，任何大場面均不應放在眼內。

她說下去：「榮，你知道象牙國？」

大洋回答：「這是我方努力扶植的一個小國家。」

「象牙國不產象牙，可是盛產黑金，每一吋國土下都藏石油，沿海兩座油田每年產量可供應我國同等時間消耗，故此我國政府對象牙國無微不至，軍事協助她宣佈君主立憲，並且在軍備上照顧周到。」

榮大洋知道上司一早傳他，不是為着國際地理政治。

「榮，你與手下，請即時設法瞭解這位於大安蒂利斯群島的小國家。」

「明白。」

「你現在有幾名手下？」

「四人，兩男兩女，都相當能幹。」

「夠人手嗎？」

「人手永遠不會嫌多，但是小組運作順利。」

「在未來三個月中，象牙國會派人員到你組實習。」

這可叫大洋意外，什麼？

「這並不是任何人實習之處。」

華生太太重重嘆口氣，「真是蹺蹊。」

「派來什麼人？」

「象牙國推薦的陸軍上校林瓊。」

榮大洋忍不住站立，「我想要一杯咖啡。」

這一天，與其他的日子，大大不同。

「這還不止，他們先與中情局聯絡，一定要派駐我們這個『罪犯心理研究分析』小組，中情局也懷疑躊躇：一個上校，為什麼對罪犯心理發生興趣？深不可測，但是他們十分堅持派林上校親臨學習，以示尊重，我方為着表示友好，只得答允。」

「這上校是個怎樣的人？」

華生太太牽牽嘴角，「中情局也不是省油的燈，立刻着手調查，榮，得回的資料，叫人吃驚。」

她自鎖着的文件櫃取出一份文件，放在桌上，「這是林瓊上校的資料。」

「這是一份手寫文件。」

「榮，此刻大家都已明白，手寫傳閱銷毀最為安全，放電腦裏，再周詳密碼，也有駭客破解。」

「且慢，軍方與中情局均設心理研究組，為何越界到我們這裏？」

「他們解釋是我們牽涉較多實例，方便林上校晉升時組織同類小組。」

榮大洋發獃。

「我給你十五分鐘閱讀資料，你一定需要添杯咖啡。」

華生太太暫時離開會議室。

榮大洋輕輕打開文件，看到第一頁，他忍不住輕輕「呵」一聲。

罪犯心理行為分析組擅長協助警方偵查連環殺手，什麼還會令組長榮大洋如此驚訝？

文件首頁是一張複印照片，較為粗糙，可是照片內是一個亞裔明媚秀麗的年輕女子。

大洋原以為林瓊上校是粗獷中年男子，微胖，略禿，牙齒不甚整齊，身穿顏色過份鮮明簇新軍服……榮大洋錯得十分徹底。

他首次錯誤解讀目標人物的外形性格，失職之至，罪無可恕。

他接着讀到她簡單履歷，榮大洋震驚，合上文件，作不得聲。

不多久，華生太太重返會議室，問他：「如何？」

大洋不知怎樣回答，他緩緩說：「林上校只得廿六歲，過去兩年她駐守蘇丹，一個年輕女子，究竟怎麼獲得如此高等勳績，叫人疑猜。」

「還有更奇怪的事。」

「她不是象牙國上校，她由玉子國派駐象牙，然後由象牙國轉介到這裏，換句話説，象牙國只是仲介，而玉子國一向是我方假想敵，人所共知，面和心不和，我們為何要接這個燙手山芋？」

華生太太嘆口氣，「因為上頭接到命令，一定要假作大方，扮有容乃大，若果拒絕，顯得小家敗氣，好似這一點點能耐都沒有：居然畏懼一個妙齡女子，傳出成為國際笑話。」

大洋搖頭，「我看是乾脆拒絕為上。」

「你不諳政治，人家已經出發前來，這已是事實，我組並無選擇，你準備接駕吧，幸虧只是三個月，很快過去。」

「她意圖在我處偵查什麼？」

「大洋，也許她真的想來學習。」

「一個上校，在我組學何物何事？我並非妄自菲薄，但雙方……」

「大洋，我明白你的意思，你介紹林瓊之際，請勿提到她上校身份。」

「我如何稱呼這位女士？請示下，總不能當她一名普通見習員。」

「我也不知。」

「我回去想一想。」

上司送他到門口，「知會下屬：不要與她親暱接近，記住敬鬼神而遠之。」

榮大洋已決定自然大方地做回他自己。

回到家，他取一瓶冰凍啤酒喝，脫去外套，鬆卻領帶，獨自坐在安樂椅沉思。

自從他妻子辭世之後，他走進室內，不再亮燈。

他在安樂椅上坐一會，淋浴，睡覺。

半夜，朦朧間，像是有一雙手臂溫柔地繞住他，他不禁叫愛妻名字，正覺纏綿，電話響起。

是上司找他：「大洋，請即返辦公室說話。」

大洋立刻梳洗出門。

這時，天還沒有亮，會議室燈火通明。

上司臉色有異，「大洋，中情處有最新消息。」

大洋坐下，取起面前的熱咖啡喝一大口。

文件內是林瓊上校的正面全身軍裝照片。

無論什麼人穿起制服都會顯得精神奕奕，但是林上校纖細高䠷身段把這種境界又提升一級，她的確是一個好看的女子。

接着的報告叫榮大洋吃驚，他雙眼越睜越大。

他忍不住站起踱步。

「我不明白，」他說：「這樣說來，她是一個機械人。」

「不，」華生太太說：「她是真人。」

「但是，據這份報告，她大腦的邊緣系統經過處理，在視丘下部植入晶片，重新控制調校她七情六慾，喜怒哀樂，甚至對愛侶的選擇，這還不是機械人。」

「真未想到玉子國的科技竟已進步到如此境界，我方相形失色，好比穴居人。」

「他們一黨專政，任何決定毋須公開聆訊或徵求任何人意見，故此十年前已暗地實施幹細胞移植治療，活人無數，我方今日猶婆婆媽媽躊躇不已。」

華生太太說：「林瓊上校，是一個經過設計的人。」

大洋對這個女子產生一種難以形容的感覺。

情報指出：她是個孤兒，在一次空前大地震後，埋瓦礫底三十多小時救出，父母失蹤，當年她三歲，由政府收養管教，十五歲自願加入軍隊，繼而參加晶片實驗計劃。

大洋脱口問：「這是何種功效晶片？」

「明顯她是軍事天才，這晶片有莫大貢獻。」

他們兩人只覺頭頂涼颼颼。

大洋低聲問：「可否拒絕她？」

華生太太答：「你說得對，大洋，這三個月，由你負責帶她遊花園，叫兩名女生陪她逛街喫茶，瞭解風土人情，當她如太婆般服侍，功德圓滿後送她回朝。」

「明白。」

「不過，人家來向我們學習，或許，我們也可向她討教。」

大洋也按捺不住他的好奇心，「我會留意上校的言語行為。」

華生太太忽然笑，「你知道有部弈棋電腦叫深藍？此刻你像與深藍共弈。」

大洋啼笑皆非。

「大洋，我看好你的智慧及自律。」

大洋忽然想：他們的情報如此詳細，那麼，彼方可能也對他做出詳盡調查。

他惆悵，可惜，他這人乏善足陳，他手下四人，也全然沒有私生活可言。

朱佳孔武有力，神槍手，又是柔道高手，性格略嫌衝動，可是辦事努力，他喜歡穿無袖T恤，展示臂肌。

劉奇志與朱佳剛相反，是個文弱書生，擁有三個博士學位，過目不忘，智商奇高，是本活生生百科全書，但智力發展不平衡，他是那種迷頭迷腦做研究時，把金錶當雞蛋烚爛當早餐的傻子天才，不過，他的臉容秀美如少女。

何可兒，去到任何部門都成為該處之花，因此頗為驕縱，除出上司榮大洋，誰也不賣帳，她頭腦精密，明敏過人，講究衣着打扮。

不過，數機靈是馮怡，偵案似有第六感，年紀最小，大學出來才三年，她修罪犯心理及彈道學，是個可怕的電腦專家。

他們都是優秀年輕人，性格與學業高尚，可是相處日久，幾乎廿四小時在一起工作，變成兄弟姐妹一般，毫無綺念，榮大洋是他們的大哥、嚴兄。

開頭各人不是沒有異性伴侶，漸漸對方覺得他們工作性質可怖，資料內永遠有受害人血淋淋照片，他們工作不定時，一個電話，立即出發，又不允與任何人談及工作內容，壓力巨大，失去歡容。

榮大洋根本記不起他上次笑是什麼時候。

他走進辦公室，迎面飛來的是一條橡筋，打中也頗為疼痛，他眼明手快，伸手抓住。

他的手下紛紛低頭，無人認帳。

大洋輕輕宣佈：「各位，我們小組，不久會有一位客人前來學習。」

他的手下莫名其妙，沒聽懂。

「誰，什麼人？」

「是監察還是見習？兩者都妨礙工作，最討厭不過。」

「是男是女，什麼身份？」

「兩年前以色列有一個金髮女探員來實習——」

大洋說：「這位人客來自玉子國。」

「那不是我們的敵人嗎？」劉奇志好不懷疑。

馮怡說：「喂，世事變幻莫測，昨日敵人，即明日朋友。」

大洋等他們說完，才叮囑：「你們對她，要自然和善帶尊敬恭順，維持距離，但不可冷淡。」

可兒嗦一聲笑，「難度如此高深，我對太婆也不會如此。」

大洋說：「是，太祖婆婆，就是那樣。」

劉奇志問：「為什麼？」

「她是人客，記住，重話說不得。」

聰明的可兒問：「可有資料？」

大洋把上頭準備的簡約資料遞上。

異性相吸，朱佳與奇志擠近看照片。

「這是她？看上去像模特兒。」

「是華裔，也許是她被派到我組原因，我們也是全亞裔。」

馮怡訝異，「這個林瓊漂亮極了，可兒，你遇上勁敵。」

可兒輕輕哼一聲，「讓我看她的照片。」

「她坐在什麼地方？」

劉奇志忽然堅持，「她坐我對面。」

大洋忍不住，「各位同事，今日無事可辦？」

他有苦說不出，這女生是一名上校，他榮大洋的職位，充其量只是一個中尉，見到上校，敬禮鞠躬還來不及，如今，他卻要當她是同事，這不是惡差是什麼？

況且，情報說：她是經過設計的神奇新人類，更叫他不知如何應付。

過去無論工作多辛苦，他從不考慮調職，這次例外。

只聽見馮怡淘氣地說：「兩位男生，難得來一個hottie，便宜你們了。」

大洋抬頭用責備眼光看着他們。

馮怡吐吐舌頭。

這時秘書進來說：「榮先生，華生太太帶着客人來了。」

大家都站起來。

榮大洋沒想到他會第一個發獃。

他看到華生太太身旁那個高䠷的身形，她必定是林瓊上校了。

怎麼說呢，她小小臉龐清麗白皙，毫無化妝，自然秀美，黑色烏亮頭髮束在腦後，只穿一套黑色西服長褲，她身量約有五尺八九吋，站在小巨人般的朱佳身邊，都到他耳朵。

她有種說不出的清奇氣質，微笑可親，叫人自動除卻防禦之心，她清晰稱呼每一個名字，顯然有備而來。

她說：「我叫林瓊，請叫我瓊。」

劉奇志連忙說：「瓊，你的座位在這裏。」

華生太太低聲說：「你沒準備私人辦公室？」

林瓊微微笑，「這裏很好，奇志，請多多指教。」

大洋沒想到她那樣隨和，默不作聲。

華生太太說：「從今日開始，大洋，有什麼案件，讓林瓊實地觀察。」

大洋看着美麗的上校，不覺得她有何異樣，她不是科學怪人，肯定亦未鑲上高性能機械義肢。

她把隨身物品放進桌子抽屜，她垂着頭，在想什麼？

她在想：這個叫榮大洋的小組長，比照片還要好看，照片平面，真人立體，只見他英朗之外還有一股清鬱氣質，手下不停說話，他維持沉默，只在一旁靜靜觀察。

怎麼說呢，這正是瓊上校的弱點，她喜歡沉默的男子。話最多的是奇志，他高而瘦，像一根樹枝，髮長披肩，有點神經質，緊張時不停說話，他要努力給林瓊一個好印象，表示他對玉子國十分熟悉，資料如泉湧。可兒走近打他的肩膀，他才住口。

瓊微微笑，那可兒雖穿着外套，但裏頭是低領小背心，一半胸脯懸掛在外，瓊身為同性，都不好意思注視，不知她的男同事如何辦公？

瓊驚異，一向聽聞金國子民自由散漫，她以為只限於年輕人或藝術工作者，今日親眼目睹，方知是井底之蛙，連紀律部隊的幹員，亦個人主義，大膽放肆，身為組長的榮先生也不管教他們，叫瓊大大意外。

朱佳走近林瓊，「瓊，你可諳武術？」

他強壯左手臂上方有「武術」兩字深藍紋身。

林瓊只微笑。

「我習跆拳道，我們有機會較量一下。」

榮大洋咳嗽一聲。

真好意思，這朱佳身高六呎三，體重兩百磅，竟要與纖細的客人競技。

馮怡朝林瓊睞睞眼，「別理他，我給你斟咖啡。」

瓊不敢小覷他們，這班人是金國精英，金國的科技、經濟、軍備全世界最強，就是靠這班人的功績，他們辦事方式不一樣，越是不經意，越顯功夫，在凡事求規矩慎重的玉子國民看來，跡近不可思議，林瓊這次外訪，正想尋求答案。

這時可兒忽然問：「瓊你的英語說得那樣標準，在何處學得？」

瓊還未回答，榮大洋在一旁回答：「我相信是劍橋。」

可兒轉頭看着大洋，她不知他的苦處，她揶揄大洋：「榮你不必太過保護我們的客人。」

榮說：「你們把昨天那單案子與瓊交代一下。」

馮怡輕輕問：「你是劍橋生？」

可兒有點醋意，她把文件打開，取出一疊血腥照片，分開平放在林瓊面前。

瓊細細觀察，這明顯是一宗連環謀殺案，四名年輕女死者年齡相仿，容貌類似，窒息身亡，棄置巨型垃圾箱內。

兇手變態憎恨歧視女性，藉此洩恨。

其中一名受害人十隻手指甲上都有繪花圖案，可見生前不知多講究儀容打扮，可能為一個髮型一件衣服煩惱不已，今日，卻躺在垃圾箱內。

瓊沉默無言。

榮大洋說：「我們要出發往橙縣案現場，瓊你可以一起。」

瓊沒想到他低沉的聲線是那麼動聽。

他們分兩部車子出發。

奇志堅持瓊坐他的車。

瓊與馮怡並排一起。

奇志說：「瓊你不怕血腥真是好事。」

馮怡揶揄他：「我也不畏恐怖現場，你卻從未稱讚我。」

奇志又說：「瓊你可注意到我們上司榮大洋永遠不笑。」

馮怡說：「他每天只講十句話，嚴如校長，在你們玉子國，他這種人叫不苟言笑可是。」

「瓊也不多話。」

馮怡說：「但瓊時時微笑。」

到了橙縣，當地警察迎上，報告案情，他們組織資料，研究疑兇身份背景，不久，將可能性名單範圍縮小，限在三數人之內。

瓊在一旁靜靜觀察，她對小組成員比較更有興趣。

她留意到榮大洋從不脫下西服外套，他是左撇子，書寫時自攜一支學生鋼筆，他有一雙穩重四方形大手，手背上汗毛稠密，像他的髫髭一樣。

榮大洋是一個漂亮的男人。

他個性十分慎重收斂，領導小組，卻不介意屬下性格習慣與他全然不同，他尊重他們。

他有容人之量。

這是很難得的涵養。

警方隨線索追緝疑兇，不久在一所民居成功逮捕，警長曉以大義：「你最後綁架的梅林達在何處，及時提供資料，還來得及救她一命，你已殺害多人——」

林瓊實在忍不住，輕輕走近那疑兇，一拳詠春手把他推倒在地，諸人瞠目，卻不阻止，瓊卻沒有罷手，她伸出穿着軟底靴的腳，踩在那兇徒下體，緩緩加力。

疑兇吃痛大吼：「警察暴力，你這狗養的——」

瓊再用力，朱佳與馮怡他們轉頭看向別處。

疑兇不禁大喊招供：「瀑布街貨倉——」

瓊問：「幾號？」

「三零四七號。」

這時朱佳讚賞地舉起一隻手，瓊用手掌與他共擊。

朱佳與小組立刻撲向瀑布街救亡。

疑犯痛得雙眼翻白，奇志說：「瓊，你可以放鬆了。」

瓊低聲說：「他勒死那些女生之際可沒鬆手。」

警察把疑犯自地上拖起，救他一命。

榮大洋在一邊冷冷看着，一聲不響。

他心中不知多麼吃驚，如此文秀女子，手段卻像街頭惡棍，不可小覷。

成功幫助當地警方救出人質，他們轉回辦公室，這時，大家已有三十多小時不眠不休。

榮大洋說：「瓊，我有話說。」

「我坐你車好了。」

奇志失望，朱佳訕笑。

榮大洋把車駛上公路，輕輕說：「上校——」

瓊一怔，他知道她官階，上司對他充份信任，由此可知，他晉升機會極高。

瓊微笑，是，組長，她心裏說。

「私刑拷打逼供不是我方可以容忍的行為。」

瓊不出聲，果然，訓話時的他像嚴格校長，可是，他並沒有阻止她虐待疑犯。

「我並無阻止是因為救人要緊。」

瓊幾乎要打呵欠，她在晨曦下悄悄看榮大洋側面，他的濃眉是立體的，睫毛長且密，前半截曬成淡棕色，眨動時像粉蝶翅膀，煞是好看，奇怪，這樣一個鐵漢，要如此濃眉長睫幹什麼。

「上校，你既在我組觀察請照我組規矩，下次，我不會縱容私刑。」

他把車加速。

「上校——」他覺得口氣似太重了些，轉過頭去。

他發覺她不是沉默，而是經已熟睡，她仰着頭，微張着嘴，露出雪白整齊門牙，呼吸均勻，鼻息微聞，胸脯一上一下，睡得像個孩子般香甜。

大洋啼笑皆非。

她竟那樣信任他。

大洋用電話問總部：「請告知林瓊的住址。」

答案是：「玉子國大使館旁員工宿舍甲座。」

跟着，華生太太的聲音接上：「大洋，情況如何。」

大洋吁出一口氣，「還好。」

「記住維持最佳印象，最安全距離。」

「明白。」

「這位林上校在蘇丹兩年協助新政府建設現代化軍隊，毫無置疑她是軍事天才，但卻像世上一切天才，對生活有點天真，你手下劉奇志便是其中一例，你要還就包涵。」

「她比奇志好些。」

「大洋，在她的國家，嚴厲約束紀律部隊男女關係，軍方人員結婚需獲批准，你手下有人像發春情的貓，請你留神。」

大洋不禁微笑，關上電話。

他看了看身邊可人兒，那張紅粉緋緋面孔的確叫異性心動。

極小的時候，約六七歲，大洋記得他有一個小女同學也非常漂亮，臉蛋似洋娃娃，頑皮的大洋常懷疑她不是真人，一日小息，他忽然趨近擰她臉頰，又大力扭她手臂，女孩哭泣不已，大洋才信她是血肉之軀。

他被罰留堂三天。

此刻，大洋忽有衝動，他也想故技重施，大力擰林瓊面孔，如果她叫喊，那麼，她是真人。

車子駛進使館，他停下出示證件，這時，林瓊醒覺。

她連忙說：「謝謝你。」

他看着她，「請盡快梳洗回辦公室。」

瓊看着他微微笑，他們工作態度並不散漫。

大洋察覺：「我知道你是上校——」

瓊說：「沒問題。」她的手忽然按到他肩膀。

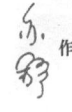

現在，像是她把他當下屬，瓊連忙縮手下車。

那輕輕一下，大洋感覺似被電槍擊中，他半邊身刺麻。

許久沒有那樣的感覺，她似喚醒他體內某些細胞。

新婚的時候，愛妻躲在門後待他下班回來擁抱他，也有那種麻癢感覺。

他以為他已經忘記，他低頭傷神。

榮大洋回家睡了一小時，梳洗後回辦公室。

可兒與馮怡兩人未到，朱佳開會去了，辦公室裏只有奇志與林瓊上校。

他倆似在談論案情。

奇志先是站着，後來索性跪在林上校身邊低聲解釋，接着，盤膝坐在地上，越靠越近。

大洋沒好氣地離遠觀察，他已再三向奇志叮囑：太婆，要對林小姐如太祖婆婆，他當耳邊風。

那時，奇志正在說：「我組一接到橙縣警方資料，立刻着手分析，四名受害者均是白領，有正當職業，並非流鶯，所以，疑兇可能是她們認識人物，她們分別在市中心距離不遠的四棟辦公室工作，警方前往探測，發覺辦公室有一個相同之處——」

瓊嗯了一聲，指一指圖片，「四處均有裝飾用海洋水族魚缸。」

「對。」奇志凝視她：「瓊，你真好看。」

瓊只得陪笑，「可兒與馮怡才漂亮呢。」

奇志說：「榮大洋方算美男子，英偉之中帶儒雅氣質，我要是女子，會為他傾倒。」

瓊不方便置評，只是微笑。

「大洋兩年前喪妻，之後鮮見笑容。」

瓊內心惻然。

「最叫他傷心的是愛妻因難產身亡，胎兒不保。」

瓊震驚，她低聲說：「怎麼會，廿一世紀醫學發達的金國——」

奇志無奈地攤攤手。

瓊為棨大洋傷痛，啊，男人也不易為。

「——接着，我們發現魚缸由同一家公司打理，追溯下去，終於找到疑犯。」

「他為何憎恨殺害無辜？」

「他的理由是父母不愛他，童年受創傷。」

瓊嗤一聲笑。

「你的童年可愉快？」

瓊輕輕答：「我是孤兒，我在國家兒童院長大。」

「啊。」

奇志同情想握住她的手。

這時他身後傳來棨大洋的聲音：「劉奇志，我有話跟你說。」

瓊轉過頭招呼他。

大洋發覺她仍是一張素臉，光可鑒人的長髮束在腦後，難怪奇志要越坐越近。

他把奇志拉到一角，「保持距離。」

「組長，我決定追求她。」

榮大洋大吃一驚，「萬萬不可！她是玉子國軍方要員，與我們金國勢不兩立，奇志，她是卡普列，你是蒙泰久，你千萬小心。」

「世上沒有永久仇人。」

「奇志，短短四十八小時——」

劉奇志孩子氣地微笑，「十分鐘內便知愛或不愛，但丁與比亞翠絲，寇斯登與伊素蒂……」

榮大洋沉下臉，「奇志，我是你組長，你若不改變態度，我罰你停職一週。」

平日有點懦怯的劉奇志忽然倔強，「局內並無條例禁止男歡女愛。」

大洋斥責：「人家有愛上你嗎？」

這時，他看到朱佳不知與可兒說些什麼，兩人一起走近林瓊，低頭細語，只見林瓊一直微笑，可是馮怡也接着加入做說客。

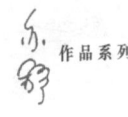

奇志是讀唇高手，「大塊頭要與林瓊比武。」

大洋氣得說不出話來，他抬高聲音，「朱佳！」

可兒轉頭說：「瓊已經答允切磋，你們也一起觀看。」

他們已經一湧而出，到隔壁的運動室，把各種器材搬開。

只見朱佳換上運動衣出來，昂藏六尺餘的他，一直對運動努力不懈，今日見功，只見他淺棕皮膚，深藍紋身，渾身精肉，步伐輕盈，煞是好看。

可兒替林瓊脫下外套，幾個同事目光都集中在客人美好身段上，除出榮大洋，他發覺秀麗的上校並無攜帶隨身武器。

林瓊緩緩除下鞋襪。

大洋看到她白皙足踝及短短足趾，呵，這是一雙從來未受高跟鞋壓逼淫虐的可愛天足，他有剎那失神。

大洋本應出聲阻止這場友誼賽，可是他也是人，他也有好奇心。

不知怎地，這女客叫他們不能抑制情緒。

這時朱佳講了一句他萬萬不該講的輕佻話，他看着林瓊說：「不要怕，我會溫柔。」他伸出手招她。

大洋心中罵：該死，你怎麼可以調戲人客。

林瓊並不動氣，她向他抱拳敬禮。

朱佳確是高手，旁人還看不清楚，他們已經過了數招，朱佳欲擒住對方纖細手臂，她借力躍起在空中翻一個筋斗，髮簪鬆卻落下，束在腦後長髮揮散，如雲般在半空飛舞，眾人看得呆住，那姿勢美如飛天，可是只一剎那，她雙足已經落地，朱佳右手握緊她左腕，一使勁她便落敗。

朱佳得意地咧開嘴笑，可是，且慢，大塊頭真的贏了嗎？

瓊朝他揚了揚眉角，示意他往下看。

大塊頭朝他下身看去，這一驚非同小可，原來瓊的右手正輕輕碰在他最敏感部位上，她若用力，大塊頭這輩子就叫完蛋。

一切在電光石火間發生，朱佳都不知是怎麼中的招，他一直以為穩操勝券，藉此可叫玉子國佳人心服口服，誰知人家武術深不可測，他敗下陣來。

當時瓊迅速縮手，退後。向大塊頭抱拳道謝，一聲不響，走進洗手間。

她仰頭放聲大笑。

呵，瓊一生都未試過如此高興，她笑得眼淚都要流下，有時，做人真要放肆一下。

可兒與馮怡也推門進來，她倆更笑得站不直，豎起拇指誇獎勝利者，「瓊，請把招數教授我倆。」

三個女生摟在一起笑個不停。

可兒說：「瓊，幸虧你夠溫柔。」

她們又忍不住再笑。

在外頭的朱佳面如土色，垂頭喪氣。

大洋見他丟臉，輕輕說：「孫子兵法中，有如此忠告：知彼知己，百戰百勝。」

劉奇志補充：「西方人對孫子兵法尊稱孫子藝術，他的境界，你得尊崇，你太輕敵。」

這時，大洋看到落在地上的髮簪，他趁別人不覺，輕輕拾起，握在手中。真未想到她有那麼長的秀髮，幾乎及腰，舞動時像漆亮錦緞，他竟不打算歸還髮簪，大洋緩緩走回辦公室。

整個下午，他有點坐立不安。髮簪由天然玳瑁製成，鑲雲頭銀邊，古樸雅致，瓊身上好似只有這一件裝飾品。

大塊頭整日訕訕地紅着臉，可兒忍不住取笑他：「朱佳，做人要溫柔。」

瓊輕輕走近朱佳，坐他身邊。

朱佳低聲說：「多承你手下留情，對不起我太無禮。」

瓊笑笑問：「你最愛吃什麼？」

「我？俗語說，最好吃不過是餃子，最舒服不外是躺着，我不知多久沒吃家製的餃子了。」

瓊微笑，「我請大家到舍下吃餃子如何？」

「真的，」他們都聽到了，「幾時？明晚好不好？」

「要不要叫大洋？」

「別叫他，有他在，大家玩的不盡興。」

奇志說：「怎可漏卻大洋。」他最純真。

榮大洋已經站在身後，可兒不得不通知他。

他只嗯一聲，隨即說：「開會。」

可兒朝馮怡伸伸舌頭。

瓊與他們坐在一起開會。

大洋開始：「這是溫市著名的沿岸海灘，自去年二月至今年六月，市民在那一帶陸續發現了一共四隻人類左腳，腳上均穿有同一牌子球鞋。」

連瓊上校都忍不住在心中低呼一聲。

「前日與昨日，接着兩日，又發現兩件，這次是右腳，但卻屬於六個不同的人，警方核對失蹤人口，全無配對。」

照片打出，可兒先說：「斷口十分整齊。」

奇志觀察，「勝利牌球鞋簇新。」

「其餘肢體呢？」

「多麼詭異，市民一定十分吃驚。」

瓊心想：這樣富庶社會，如此豐足民生，社會的陰暗面卻那麼巨大，為什麼？

「這是一宗叫當地警方束手無策的懸案。」

林瓊需要觀察的，其實是自一班幹探小組看出去的整體民生。

奇志忽然問：「瓊你可對此類案件吃驚？」

瓊在戰亂國家見過更殘暴場面，殺戮過後，空氣充滿屍臭，揮之不去，至今尚殘留她的鼻端。

當下她只點點頭。

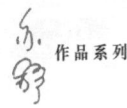

只有榮大洋知道她見過堆滿百多人泥坑，她得與聯合國人權組織逐一挖掘辨認，好給受害人一個身份。

榮大洋說下去：「警方有些推測，但全無實際根據，瓊，你可有意見？」

瓊覺得她像被點中名字回答難題的學生，她輕輕答：「肢體約在海裏多久、根據風向水流、自何處飄進海灘，肢體屬何種性別，刀口用什麼利器，最近可有幫派鬥爭，偷渡人口……」

「都正在調查。」

「肢體屬何種族裔，調查過去一年進出口船隻。」

林瓊不是來協助她們破案，而是觀察他們處理案件方法。

下午她閱讀小組檔案記錄，發覺榮大洋曾兩次受罰，一次因下屬濫用藥品，他沒有上報，另一次，縱容下屬毆打疑犯。

瓊專注閱讀，榮大洋在不遠處注視。

天下竟有這樣好看女子。

當然，順眼與否，是世上最主觀的事，他視網膜神經接收的影像傳遞進腦部分析，他直覺喜歡她的模樣性格，她便是他心中美人。

別人想法不一定與他相同。

上一次他覺得異性吸引，是多年之前，與亡妻戀愛之際，想起，心裏還扯動難受，大洋失神。

可兒輕輕問馮怡：「大洋在想什麼？」

馮怡答：「如何破案。」

「他再也不會想別的。」

「你全對。」

不，她倆錯了。

第二天，可兒帶瓊參觀他們的射擊場，男同事尾隨，七嘴八舌教瓊射靶之道。

榮大洋心裏想：你們又來了，上次吃虧，今次尚不學乖，沒得救。

只見瓊一見他們槍械，發怔，不知説什麼才好。

半晌她低聲問：「你們用這個？」

「正是，半自動手槍，輕便實用。」

大洋聽見上校問了一個奇怪問題：「對於隱藏目標，你們如何射擊？」

可兒一愣，「我沒聽懂你的問題。」

林瓊比她更疑惑！真不相信他們用如此落後武器，作戰時那豈不如等於送死。

「一般來說，匪在暗，你在明。」

可兒答：「不錯。」

「你若不能先下手為強，豈不危險。」

可兒仍然不明，「那是我們職責。」

瓊不再出聲。

奇志替瓊戴上護鏡護耳，「瞄準目標，開槍。」

玉子國新一代軍人從未用過如此落後槍械。

「那紙上黑色人影即是目標，瞄準心臟發射。」

瓊舉起手槍，只覺又重又鈍，非要雙手才托得穩。

她對準靶子，把八發子彈統統射清。

瓊身邊的馮怡倒抽一口氣，「嘩！」

不但全中，彈孔且拼成一個X形。

這個小組成員又再一次無地自容。

滎大洋沉默無言，但眼神明顯表示對下屬不滿。

奇志問：「瓊，你還有什麼不能做的，趁早表白，免我們尷尬。」

瓊知道她已過份擾攘，連忙訕訕退後。

大洋卻另有所思。

他趨近她，「瓊，請問你今天可有佩帶武器。」

瓊輕輕答：「我的槍一直在抽屜裏。」

「可以讓我看一看嗎？」

瓊點點頭。

她用密碼打開辦公桌抽屜，榮大洋一看，立刻「嗯」地一聲，瓊取出那枚輕巧手槍，交給大洋。

大洋握住槍，立刻叫奇志過來。

奇志低呼：「我看到的真是它？」

大洋是熟手，打開槍身，取出小小子彈，放到奇志手中。

奇志有過目不忘記憶，他深呼吸問：「真是傳說中納米熱能追蹤導彈。」

大洋臉色沉重，問瓊：「這可是閣下才有資格配備的武器？」

瓊低聲答：「這是標準軍用配備。」

奇志說：「怪不得剛才你說：在看不到目標之際，如何射擊，原來你用熱能追蹤子彈，根本毋須練靶。」

瓊不出聲。

大洋驚嘆：「想不到貴國武器科技如此先進，我只希望兩國永久維持和平。」

這時瓊把槍柄調轉，讓他們看槍底蝕刻字樣，除出一列號碼之外，還有「金國製造」四字。

大洋嚇出冷汗。

奇志說：「什麼？」

瓊說：「由貴國製造，我方向你們軍器商訂購，所以我剛才十分詫異，你們並不持有這種武器。」

奇志哭喪着臉：「瓊你一定譏笑金國法例愚魯落後荒謬，竟讓它國率先採用先進武器。」

瓊連忙說：「豈敢豈敢。」

大洋比較沉着，「為何要輸入武器？」

瓊回答：「因為貴國武器售價廉宜，製作精良，我們不是不能做，而是不符合經濟原則。」

奇志呻吟：「那我們為什麼不獲發配先進槍械？」

瓊微笑：「貴國削減各種開支，以致未能負擔，數百億軍費全部用來與中東小國糾纏，沒完沒了。」

奇志與大洋面面相覷。

瓊把槍械收回抽屜鎖好。

奇志問：「貴國首要鑽研何種科技？」

瓊輕輕回答：「你們都已知道：上征火星，以及幹細胞治療，玉子是和平之國。」

大洋長長吁出一口氣。

這時朱佳嚷：「嗯，吃餃子的時間到了。」

他們抵達瓊居住的宿舍，發覺大洋不知去向。奇志說：「他還有事要做，稍遲會來。」

瓊一早知會大使館廚子相幫，做好蒸素餃與肉餃，可兒好不感激：「瓊知我吃素，好不體貼」，廚子還奉上幾碟拿手小菜，以及雞湯過來。

他們邊吃邊讚，大洋一直未到。

然後摸着肚子一起到客廳看帶來影碟。

瓊以為他們乘機看三個X片，可是卻意外發覺他們觀賞舊動畫小飛象，而且看到一半，就開始被劇情感動悉窣飲泣。

馮怡哭得最厲害。

瓊覺得他們個性矛盾，情緒散漫，難以形容。

大洋這時才按鈴進門，瓊輕輕說：「我陪你在廚房吃。」

瓊招呼他喝啤酒。

大洋說：「我極能吃，給我多些，可有辣醬？」

瓊聽了很高興。

這時他脫下外套，捲起袖子，在瓊對面坐下。

工作整日，他身上有汗漬，白棉襯衫又是那樣薄，瓊不敢正視他，要定一定神才能應對。

「唔，美味，」他說：「閣下廚藝一流。」

瓊低聲：「這是大使館大廚作品。」

「呵，你平時吃什麼？」

瓊自冰箱取出一疊貓糧似罐頭，「這個。」

大洋駭笑，肯定既方便又營養。

這年輕女子真是詭秘，似從未來世界降臨。

他倆不知可兒與馮怡偷偷在廚房門口張望。

只見兩人像少年情侶般默默無言，瓊偶然抬頭，凝視大洋，隨即低下頭，又輪到大洋怔怔的看她，這樣一來一往好幾次，一句話也無，可兒與馮怡真覺好笑。

忽然他們眼神大膽接觸，兩人都不再畏縮，凝望對方，彷彿想把對方影像蝕刻打印在腦海裏。

這時大洋覺得他的心室心房又似活轉，他不禁淒苦，什麼，不是早已死透了嗎。

瓊心中卻想，真有這樣好看的男子，她尤其喜歡他的矜持，他對她怎樣想？她整張臉漲紅，忽然患得患失。

兩人正在害怕眼神會出賣心意，門外，可兒推得馮怡太緊，她一個踉蹌，發出聲響。

大洋先轉過頭，看見她們二人，不出聲。

可兒搭訕：「瓊說會教我們幾下功夫。」

瓊放下茶杯站起，「請移步到天井。」

廚房一扇落地門通向種滿香氣襲人晚香玉的天井。

三個年輕女子把榮大洋丟下。

大洋看到瓊用過的杯子，他伸出食指，在杯沿輕輕轉一個圈，然後靠在門口，看她們三人研究招式。

只聽到瓊低聲說：「詠春拳特別之處，是為女子學習而設計，故此講究儀態，招式斯文。」

「你怎樣威脅到朱佳？他身形起碼比你大一倍。」

瓊微笑，「打架之際，男子最大弱點是瞳仁，與他們那處。」

連大洋都忍不住牽牽嘴角。

「因為那麼重要的器官外置，容易受傷，因此他們擔心顧忌，加倍害怕，情願趁早認輸。」

接着，瓊手揮目送，教可兒與馮怡詠春小念頭招數。

「呵，真奇妙，全部四兩撥千斤。」

這時大洋揚聲：「時間不早了，請向主人告辭。」

可兒不服，「大洋就是掃興。」

朱佳進來，「不然你們想玩到天亮？」

奇志看着瓊：「我們要多計劃這類聚會。」

他們終於告辭。

送走他們，瓊回到室內，忽覺寂寥，看到大洋喝剩啤酒還放在桌上，她忽然取起，喝了一口。

瓊把仍有涼意的瓶子貼在臉上緩緩轉動，半晌，在濃烈的花香裏進入夢鄉。

她在夢裏看到大洋，他朝她走近，輕輕問：「我可以為你做什麼」，他四方的大手碰到她的臉頰。

瓊驚醒，天已經亮了。

她連忙淋浴梳洗趕回辦公室。

華生太太正與大洋説話，看到瓊，連忙堆滿笑容，「瓊，怎麼看我們？」

瓊微笑，「十分優秀。」

「真是外交辭令，你從未見過如此糟糕的陣容可是？」

瓊立刻説：「不，不。」

大洋站在一旁不出聲。

可兒在遠處看着他們，她跟馮怡説：「大洋是華生的碧眼兒。」

「她有事沒事都找他説話，每天非見過他不可，意圖明顯，如果她是男上司，他是比她年輕十年的女下屬，一切好辦，可是——」

這時瓊走近，聽到馮怡說：「這兩年大洋不知怎麼過，試想想，好端端把懷孕妻子送院待產，一夜之間妻子與胎兒性命不保，叫他一個人孤零零回家。」

「究竟是什麼意外？」

「生產過程畢竟是九死一生的一回事。」

「此刻大洋可有女伴？」

「不知他如何應付需要。」

可兒忽然問：「你呢，瓊。」

瓊自電腦熒屏抬頭看着開放自由的她們微笑。

博學的奇志搭嘴說：「瓊可以向軍方申請處方藥物杜絕綺念，專心工作。」

可兒意外，「這是事實？」

瓊仍然不出聲，努力看檔案。

奇志說：「瓊的矜持，與大洋無獨有偶。」

「他倆還有相同之處，他們本身不多話，可是，亦不反對別人嘰喳，不比另外一些人，自尊自大，但凡與他不同的人，均屬敵人。」

瓊仍然微微笑。

稍後，華生太太回到樓上繼續做她的造物主，大洋與同事說：「她叫我們努力工作。」

朱佳說：「可是絕對沒有額外人手。」

那日，瓊留到八點，職員都走光了，她才收拾雜物，她習慣不在桌上留下任何物件，一時輕輕說：「本來無一物，何處染塵埃。」

身後有人說：「六祖惠能的著名偈語。」

那是奇志，他是活資料庫。

瓊笑問：「你還沒走？」

「我等你，我送你回家。」

「不客氣。」

「瓊，我有話說。」

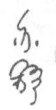

瓊與他走到停車場，她看到一輛小小五十年舊雪鐵龍狄安，外殼油漆剝落，同奇志一般有性格。

瓊說：「這車沒有前後護檔，也無氣袋，不再適合在公路行駛。」

奇志說：「但是模樣可愛。」

瓊又笑，「同你一樣。」

奇志靦腆，隨即他鼓起勇氣問：「可要去喝些什麼？」

「明天還要上班。」

「呵，枯燥的生涯，自從你出現之後，我們才有生機。」

「你太讚美我。」

「瓊，你究竟想在我組學習什麼？」

瓊坦白回答：「你們這個層次幹探的行為、舉止及待人態度。」

「呵輪到分析罪犯的小組給客人分析。」

奇志把小車子開往郊區。

瓊意外，「咦，這不是熟悉通路。」

奇志駛入一條小小泥路，忽然停車。

瓊奇問：「車子怎麼了？」

奇志轉過頭，「它拋錨，壞了。」

瓊心裏暗暗好笑，「哦，忽然壞了，可要用電話求助？」

奇志卻低聲說：「手提電話也不通。」

瓊輕輕答：「我看看我的電話。」

「它也不能用。」奇志有點固執。

瓊看着他稚氣的臉，「你有話說？」

奇志的聲音有點顫抖，「瓊，你真好看。」他的手輕輕撫摸瓊的面孔。

瓊微笑，握住他的手。

「瓊，你矜持柔美，你明白我的心，你從不揶揄我。」

「奇志，我們是好兄弟，當然互相扶持。」

「不，瓊，我——」

就在這個時候，靜寂的泥路忽然有另一輛車子趕到，車頭大燈通明，射向小車，並且在他們附近刹停，這還不止，司機跳下車，用強力電筒射向車廂，大聲喝道：「劉奇志，立刻下車！」

這分明是榮大洋的聲音。

瓊大奇，「他怎麼知道我們在小路？」

奇志答：「車上有衛星追蹤器。」

瓊不禁好笑，他們已經下班，而且是成年人，榮大洋何故像受驚家長般緊張？

這時大洋把奇志那邊的車門拉開，「你，下車，」又對瓊說：「你，到我車上去等，我載你回家。」

瓊不知怎地沒有異議，走進大洋的大車。

只見榮大洋臉色鐵青，對屬下訓話。

「奇志，我千叮萬囑叫你保持距離，你竟把她帶到小路企圖非禮。」

奇志委屈，「我喜歡她，她也喜歡我。」

「她是玉子國來的人客，奇志，你瘋了？你再不聽指令，我罰你停職。」

「你罰好了。」

「那麼好，自明日起，你停職一星期，把你的徽章給我。」

奇志嗚咽。

「還不上車回家！」

劉奇志的小車忽然無恙，它喘息幾聲，緩緩駛走。

榮大洋轉向瓊，「你。」他氣得說不出話。

這些日子來，瓊從未見他提高聲音說話，她不想在他氣頭上出聲抗辯。

「你真以為劉奇志是天真無邪的神童？他是個成年男人！你無端跟他上車，載到偏僻小路，你不怕他誤會？女人，你的智力發展不平衡！」

他的口角，像個妒忌的男友，瓊不出聲，看向窗外。

他把車疾駛回市區，漸漸氣平。

到瓊的宿舍外停住車，他輕輕說：「我的職責是要保護你。」

瓊相當諷刺地答：「謝謝你。」

「我知道你能夠應付，但——」

瓊已經下車走向屋內。

榮大洋重重吁出一口氣。

第二早，他看到劉奇志，有點不好意思。

他叫他說話，奇志一進他辦公室便說：「我明白。」

「我說話許重了些。」

奇志不語，悄悄出去。

奇志朝瓊道歉，「昨晚對不起。」

瓊輕輕答：「不相干。」

可兒疑心，「什麼事？」

奇志忽然說：「魏晉的知識分子，以清高，簡易，明敏，俊秀，優雅作基準，但追求清高卻流於孤僻，簡易流於倨傲，明敏變為放縱，狂狷以及隱逸……」

可兒輕輕說他：「神經病。」

奇志回答：「瓊瞭解我就好。」

那一天，瓊又留到晚飯時間。

朱佳走近，「今日為何沒跟我們開會？」

瓊抬頭，「我有點事。」

「你臉色有點不尋常。」

「沒有呀，我很好。」

朱佳說：「我給你帶來點心，這是本市法國餐館的龍蝦湯，」接着，他又取出兩瓶小小汽酒，開了瓶蓋，放進吸管，遞給女伴，「味道略甜，相當可口。」

「謝謝你。」

這還不止，他取出原始收音機，把聲量校至最低，播放跳舞音樂。

瓊沒想到大塊頭這樣會討異性歡心。

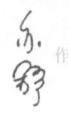

她覺得食物可口，音樂動聽，汽酒美味，可是，她這次到外國來，是尋找傳說中迷醉戀愛感覺，這一切還是不夠。

朱佳待她吃完，輕輕說：「你會跳舞？」

瓊回答：「步伐我懂，可是沒有舞伴實習。」

他站起，「我陪你。」

他把音樂聲量調高，那是著名輕快的梳薩舞步，大塊頭的大手搭住瓊的腰，與她翩翩起舞。

可是辦公室並不止他們兩人。

榮大洋在高處看着他們。

只見朱佳漸漸把女伴摟緊，他的伎倆顯然比劉奇志要超出若干層次，做得相當不露痕跡。

榮大洋忍無可忍，伸手啪一聲開亮辦公室大堂所有燈光。他們兩人抬頭向他看去，只見大洋面色鐵青，聲音嚴厲，「朱佳，你還有許多檔案文件要做，你何來閒情逸致?」

瓊看着大洋,不相信他會如此魯莽,這榮大洋似掃把星,專門掃興。

當下朱佳只得立刻把酒瓶盤碗撥進垃圾桶,關掉音樂,搭訕說:「我問瓊,明日下午她可有興趣觀賞劍擊比賽。」

榮大洋瞪着他,「我有話同你說。」

他又看着瓊,「你好下班了。」

瓊啼笑皆非,只得悄悄離去。

她決定暫時不與榮大洋說話。

第二早馮怡跟瓊說起一件自導自演連環殺人案:一名資深記者,涉嫌虐殺四名婦女,之後撰寫兇案發展,經榮氏小組調查,發覺報道太過詳細,才予揭發。

「是誰首先懷疑他是兇手?」

「奇志,當時警方認為不可思議,因為疑犯已婚,有兩子,沉默寡言,社區相當敬重他。」

「啊。」

「奇志甚至推理，疑犯被捕時，會穿着雙襟外套，扣齊鈕扣，他料事如神。」

「啊，奇志是神童。」

「下午我與可兒參加西洋花劍比賽，請你指教。」

「與誰比賽？」

「四樓狙擊組那幾個形容猥瑣的男人。」

瓊又不禁微笑，她們真可愛，成年也與少女一般，想什麼說什麼，爽直活潑。

「大洋是高手，但是他從不參賽。」

說到大洋兩字，瓊忽然沉默。

下午，瓊與同事排排坐看比賽。

榮大洋坐在後邊，瓊故意不去看他。

朱佳與奇志一左一右陪着瓊，經過訓話，他倆各離瓊足有一呎之遙。

可兒一下場，瓊就知道她會吃虧，身形嬌小不在話下，她空手沒在出劍時放

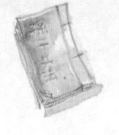

下，這個不足一秒小動作可影響身體平衡與出劍力度。

果然，對方窺中可兒弱點，用弓步進攻，首先踢出前腳以腳踭落地，後腳伸直，向可兒推進。

不過這人戲弄可兒，他的劍並未即刻刺向保護衣取分，他先用劍在她胸前亂舞一會，引起觀眾訕笑，然後，他才一擊取分，可兒一敗塗地。

朱佳看得氣炸了肺，「這件狗屎真夠猥瑣，我每次在升降機遇見他都想給他兩記耳光，他是狙擊組的梅柏。」

奇志忿忿說：「希望阿怡可以教訓他。」

瓊一聲不響站起，走下看台。

那叫梅柏的傢伙摘下面罩，耀武揚威在場內兜圈，不久，他的另一個對手緩緩步出，站好。

奇志輕輕說：「這不是阿怡。」

馮怡這時走近坐他們中間。

「咦，瓊呢？」

馮怡呶呶嘴。

「她替你？」

馮怡點頭。

兩個男同事「啊」的一聲。

只見戴着面罩的瓊向對手示禮。

那傢伙故技重施，躍步向前，劍尖指向對方胸前，他正打算舞出劍花，瓊忽然出手，施重手擊他劍身，震得他的劍幾乎鬆脱。

電光石火間，瓊再用劍一絞，把對方武器盤得離手飛出，那劍還未落地，得分顯示燈已經亮起不停，原來瓊已經刺中那輕佻漢胸膛，這時大家才聽到晃啷一聲。

觀眾大樂，歡呼站立鼓掌。

榮大洋在後座看得一清二楚，瓊只出了三招，已經大勝，不但為分析小組爭光，也替可兒出了口惡氣。

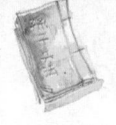

他驚訝得動彈不得，這女子武術高深莫測，而且嫉惡如仇，她最痛恨男人對女子輕佻。

只見那梅柏除下面罩伸出手想與她相握，但是瓊退後轉身，拒絕接受。

可兒已瘋狂鼓掌。

她陪瓊進更衣室，馮怡尾隨。

瓊更衣時可兒忍不住笑，「瓊，你的胸衣比我的背心還用多布料，還有，你怎麼穿阿婆內褲，哈哈哈。」

瓊不出聲，只是微笑。

「玉子國女郎都如此保守？」

瓊輕輕答：「一般海灘也有不少人穿三點式泳衣。」

「但不是你。」

「漂亮的鞋子與內衣都十分不舒服。」

「瓊，no pain，no gain。」

瓊忽然抬頭，「我們到底想得到什麼？」

美麗的可兒一怔，輕輕答：「愛與被愛。」

「成功嗎？」

馮怡欷歔，「有一陣短短光景，女孩打扮好了，總吸引到若干蝴蝶蜜蜂。」

「不能持久？」

「不。」可兒有點心酸。

三個妙齡女都覺得遺憾。

「你呢，你希望得着什麼？」

「服務國家。」

「還有呢，瓊，你總有憧憬吧。」

瓊低頭，「退役後，與愛人在一起組織家庭。」

可兒大笑，「女兒心思無分國界。」

瓊換好衣服與她們離去。

「瓊，去喝啤酒。」

「我還有工作。」

瓊回宿舍淋浴，對鏡嘲笑身上內衣，然後，回到辦公室做報告。

她長髮還沒有乾透，鬆鬆挽腦後，她借用辦公大樓強力電能，插上感應電腦，開始做報告。

榮大洋在他辦公室門口看她。

他想，假使他所有下屬像她就好，他那班猢猻不是忙着結交異性，就是喝酒跳舞看戲。

他走近。

瓊抬起頭。

那真可能是世上最好看的一張素臉。

可是讓榮大洋吃驚的是，他的想法忽然大部份在她面前的電腦熒屏上打出：

「世上最好看……」

這是什麼？大洋走近。

熒屏上答：「感應電腦，把心念及思維直接駁到感應器，比我手寫我心還要直接。」

「啊，」榮大洋感嘆，「這也是標準裝備？」

「警方用來代替測謊機，我用它寫報告，那樣，文字比較忠實，不會過度戲劇化。」

「亦由本國製造外銷？」

「日本製造。」

「可允我一試？」

「你得坐近一點。」

大洋端一張椅子，坐到瓊身邊。

瓊輕輕說：「脫去外套會更好。」

大洋不虞有詐，脫去西裝外套。

瓊低頭微笑，她不過想看他寬厚強壯的胸肌。

這下子榮大洋坐得離她極近，她可以清晰看到他青色鬚根，啊，他四方的大手尤其漂亮，瓊真想伸手去觸摸他，在他身邊，瓊強烈感覺到她是女身，感情難以抑壓。

大洋說：「我方科技的落後叫你吃驚及訕笑吧。」

熒屏上打出瓊的意見：「然而，領導小組或國家，倚靠的並不是科技或武器，我深深敬佩你對同事的態度：你能夠包涵與你性格及辦事方式完全不一樣的屬下，使他們淋漓發揮能力，凝聚成一個有力小組。」

大洋一怔。

讓這樣優秀漂亮的陸軍上校由衷稱讚，叫他心跳。

「我統領的人手比你多千百倍，可是因為軍令如山，大家照規矩辦事，若果違例，即時革職，做來，又不見得特別困難。」

「你太客氣。」

「在貴國看到有趣一點：開頭真大吃一驚，如此快樂散漫，如何做事？看仔細了，原來每個人都個性獨立，在極度自由下，他們可將能力發揮至一百分或只得五十分，平均下來，與我國嚴格訓練分數相差無幾，可是，我方也許壓抑了若干像奇志那樣天才。」

這番理智分析叫大洋深深感動，他驀然轉過頭凝視她。

兩人距離那麼近，瓊可以聞到他身上汗息，忽然之間，她心花怒放，有點陶醉。

半晌，瓊伸手關掉感應電腦。

大洋輕輕說：「我該下班了。」

他關掉辦公室所有燈火，與瓊一起走到停車場。

瓊雙膝有點瘓軟，一定是坐得太久的緣故。

「再見。」

第二天，華生太太說：「上校你或許願意到各層觀察一下我組結構。」

「我的榮幸。」

「我負責八個部門，我想上校你一早知道。」

她們正在喝咖啡，有人走近，瓊一看，是她手下敗將梅柏。

清晨看他，又不是那麼討厭，穿着西服的他堪稱高大英俊，但與榮大洋不同，他臉上有股驕傲神色。

這時梅十分意外，「林瓊，你好。」

華生太太說：「梅，勞駕你同她介紹一下各部門。」

這時，華生走近，給她一個似請帖的信封。

瓊走出華生辦公室，梅柏跟隨，「瓊，我向你道歉。」

瓊不去理他。

「你自玉子國來，我去年——」

這時忽然有人走出電梯，肩膀故意撞向梅柏，他冷不防這一記，腳步踉蹌。

瓊一看，那人正是馮怡，她冷冷說：「大洋不放心樓上有豺狼，叫我陪你。」

梅柏忍氣吞聲。

馮怡着瓊下樓，「造物主與你説什麼？」

瓊微笑，「真是大洋叫你來？」

「大洋當你是小妹妹，拚命維護。」

可兒迎上，「瓊，我們有禮物送你。」

「啊，無功不受祿。」

「你教我們詠春拳，還有，我們想學你的劍法，説實在，你的年齡與我們相仿，為何槍拳劍都勝我們百倍，有何秘訣？」

瓊輕輕答：「何來秘訣，不過是兩個字：苦練。首先，要有興趣，其次，要有恒心，功夫自然就深。」

「一天練多久？」

「不停的學習。」

可兒吸進一口氣，「沒有生活？」

「學習就是生活。」

阿怡吐吐舌頭，「這真是玉子國的規訓，天下無敵。」

她們把一隻漂亮盒子交給她。

瓊順手打開，沒料到盒內是性感肉色紗邊內衣褲，剛巧這時榮大洋走過，意外看到，連忙轉身走開。

瓊迅速蓋上盒蓋，不出聲。

可兒笑得打跌，「大洋一生都如此靦腆。」

「他再次結婚的機會等於零。」

下午，梅柏在接待處要求與瓊說話。

瓊揚起一角眉毛。

他說：「我是狙擊組組長，職位與榮大洋一樣，我不是壞人，我想邀請你下班喝杯啤酒，可以嗎？」

瓊忍着笑，「不。」

梅垂頭喪氣，「你對我誤會甚深。」

可兒在瓊身後出現，「我們可有份？」

梅柏連忙回答：「統請。」

「連秘書助理等一共十一人，你算好了。」

梅柏十分開心，「我去訂位子。」

這時，瓊才走到一邊打開華生給的信封，果然是一張請帖，華生在一件工作上得了獎，故此請客慶祝，瓊想了想，致電大使夫人請教該穿何種服飾。

夫人慷慨指點：「包在我身上，我立刻叫人去辦，你請把全身尺碼傳真過來。」

瓊想，這就是她的娘家了。

那天傍晚，她到紅獅酒吧，看到大班同事已經喝得面孔紅紅，他們像一群享受生活的大孩子，當然也有不愉快的壓力，可是比林瓊是驕縱得多了。

滎大洋離遠坐着監視眾人，他雙膝分開，可是兩手蓋住腰下，十分含蓄。

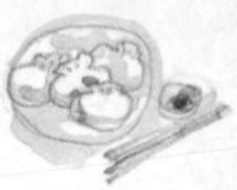

他看到瓊，可是沒有走近，但梅柏立即迎上，「瓊，你來了真好，我介紹你喝苦艾酒。」

啊，西方著名的綠苦艾。

酒保遞上小小一杯，瓊喝半口，嗆得她咋舌。

這時有人接過她的杯子，一飲而盡。

梅柏酸溜溜，「大洋，你怎麼像隻母雞，咯咯咯地圍着瓊兜轉，林瓊不是你手下特工，你管不到她。」

瓊連忙說：「我還有事，我先走。」

梅柏不忿，「這樣吧，大洋，我與你比臂力，拗勁，誰贏了，瓊就跟誰走。」

瓊一聽光火，她對梅柏沉聲說：「我不是你的賭注，我不跟任何人走。」

她轉身離開酒吧。

榮大洋在她身後。

她惱他，「你就看不得我高興。」

他不出聲。

「我毋須你保護。」

她駕車回宿舍，直到半夜，氣仍未消，這榮大洋，像隻電眼似監視她。

她自問對奇志、朱佳或梅柏都沒有綺念，可是榮大洋似乎連她與他們說話都要阻止。

不知不覺，在金國作客已經四個星期。

瓊覺得適意，一直以來，她像關在塔裏的女人，在狹窄的窗戶往凡間看去，只覺錦繡遍地，叫她神往，她選擇金國考察，是因它民生著名自由散漫，她要來看個究竟，為什麼這樣性格的人民可以建立強國。

瓊終於入睡。

一早，大使夫人讓秘書送來大盒衣飾，秘書笑說：「林小姐你打開看看，如不合意，可以馬上更換。」

「一定好，替我謝謝夫人。」

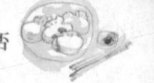

盒內是一件式樣簡單大方黑色喬琪紗晚服，夫人知道她不會穿高跟鞋，故此替她配一雙黑緞芭蕾式小鞋。

那天，在辦公室，瓊聽見可兒與馮怡說起男人的陋習。

——「他們若果說：『我已經結婚了呀』，那並不是表示遺憾或是惆悵，對不起，他的意思是：『我不會離婚，你知道我的情況，如果仍要送上門來，無比歡迎，日後可別抱怨。』」

瓊聽了忍不住駭笑。

馮怡說下去：「他們設法進到女子寢室，已經火熱，還會輕輕問：『你肯定要做這個？』不，不，他不是細心，他是作最後警告：『女士，你咎由自取，與人無尤，你是成年人，你出自自願，以後別混賴我佔你便宜。』」

瓊聽得發獃。

「阿怡，看，你嚇壞了瓊。」

瓊連忙低頭。

「瓊，」可兒看着她，「你的男友一定待你如珍寶吧。」

瓊細聲答：「我並無男友。」

馮怡好奇問：「此刻沒有？」

瓊的耳朵忽然漲紅。

可兒示意馮怡不要加以追問。

她倆沒有提到晚會，瓊猜想，她們不在邀請範圍。

傍晚，她回家更衣。

服飾十分合身，她照例把長髮往腦後攏，盒子內還有一管橘紅色口紅，她搽在唇上，司機來了，她取過小手袋準備出發。

榮大洋比瓊先到。

華生太太讓他幫忙打點。

宴會桌排馬蹄形，大洋檢視座位名單，忽然看到林瓊兩字。

他的心大力跳一下，接着，他做了一件完全不符合他性格的事：他把瓊的名片調到他的隔壁座位，接着，到接待處作出更改。

是，今晚瓊會坐在他身邊。

賓客陸續來到，榮大洋一眼看到林瓊，不禁呆住。

只見她打扮與平時深色西服長褲完全不同，她穿一件黑色裙子，映得膚光如雪，烏亮頭髮在頸後梳髻，臉上只抹口紅，明媚雙眼亮照全場。

一個日本客人立刻迎上招呼。

瓊在遠處看到穿禮服的大洋，朝他點點頭。

大洋看到梅柏走近與瓊說話。

他知道情況窘逼，危在旦夕。

他同自己說：榮大洋，你莫要遲疑，再蹉跎下去，會叫人捷足先登。

他淒惶地低頭，不久之前，他還以為自己永遠不會再愛，可是，他顯然不知是高估抑或低估了自身，他對這女子傾心。

入席鐘聲響起，瓊依照名牌坐到大洋身邊。

華生太太在遠處看到，有點詫異，可是她正忙着招呼重要人客，無暇理會瑣事。

那日本人坐在瓊對面，神態略為迷惘，目光從來沒有離開過瓊胸前那片雪膚。晚服領口不算低，可是瓊的胸脯十分豐滿，在柔軟的喬琪紗下若隱若現，叫那日本人的呼吸有點困難。

大洋坐在瓊左邊，發覺她那件衣裳袖圈開得很深，是一個V字，腋下一片細白滑膩的皮膚叫他不敢逼視。

幸虧右座是一位女士，否則，暈倒不止是日本人。

華生太太笑着致辭，叫大家放心吃完之後跳舞，因為接着是週末。

瓊一直未與大洋説話。

吃完主菜，梅柏忽然走近蹲下與瓊説話。

「瓊，我想請你跳第一隻舞。」

「我不懂跳舞。」

梅柏漲紅面孔，「瓊，我都快跪下哀求，請你不要心硬。」

瓊驚異，金國的風情又叫她意外，跳舞值得跪下哀求嗎，輕重不分。

梅柏伸手想扶起瓊，瓊輕輕使一招小念頭推開他的手。

她站起，「我頭痛，我想早退。」

大洋在一邊看得一清二楚，立刻說：「我送你到停車場。」

最失望的是那日本人。

這個時候，榮大洋已經渾忘林瓊身份是陸軍上校。

他只知道，他是一個男人，她是一個女子。

他們兩個走得很貼，可是並沒有接觸。

走到宴會廳門口，侍者剛用大銀盤捧進甜品，一小盞一小盞全是巧克力蘇芙厘。

瓊揚起眉毛，真可惜，來不及吃這個。

榮大洋像會讀心，他伸出手，取起一份，順便要了銀匙。

他與瓊並排坐在門口石階上，他勺起一羹，送近瓊的口邊，瓊本想張嘴，可是轉念間想起金國的男子實在太過調皮，她用詠春手握住大洋手腕，叫他不能動彈，然後，才一口把甜品吃掉。

唔，她陶醉地瞇起眼，等大洋再餵給她，可是大洋的手開始顫抖，力不從心，他放下小碗。

這時，他聽到跳舞音樂響起，迷醉的式士風吹奏動人心弦，那晚的月亮如銀盤般皎潔。

大洋輕輕問：「你可想跳舞？」

瓊點點頭，呵，他們都是一個師傅教出來的好弟子，都愛跳舞，因為可以名正言順輕輕擁抱他喜歡的異性。

瓊站起，那麼高䠷的她只到桀大洋耳邊，她仰起頭，主動靠近他的臉，幾乎要碰到肌膚，可是還差一點，那情況好似兩塊磁石，若不加控制，就自然啪一聲吸在一起。

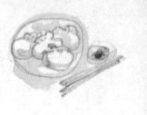

瓊忽然用鼻尖輕揉大洋的臉頰，他的眉毛眼睛人中嘴唇，不夠高時她像小孩般踮起雙足。

大洋雙膝發軟，很明顯她在向他示意：我倆有相同的感覺。

他輕輕擁抱她。

這時，宴會廳內忽然爆出一陣笑聲，像是竊笑他倆懦怯。

大洋在心底嘆口氣。

瓊呼吸裏有巧克力香甜氣息，叫他迷惑，他已不能自已。

瓊像一隻初生小動物那樣，閉着雙眼，在大洋臉上微微移動她的嘴，像在尋找母乳。

「我送你回去。」

這次，他握緊她的手，找到車子，他讓女伴先上車，然後坐上駕駛位，他疾駛，從林蔭大道駛進公園，在最隱蔽小路上忽然停止。

瓊睜大雙眼，看着大洋。

大洋的聲音低得不能低：「車子壞了，拋錨，開不動。」他既溫柔又無奈，語氣羞怯。

瓊的心快活似一隻白鴿，好像長了翅膀，真沒想到，他也懂得這一招無賴手法。

瓊強忍笑容，揚一揚眉角，「可否用電話求助？」

大洋凝視她，「電池用罄，打不通。」

瓊看着他的濃眉大眼，無限戀惜，「那怎麼辦，我的手電亦失靈。」

他趨近她，伸出雙臂，擁抱她，他按了一個掣鈕，車座忽然下塌，變成一張沙發。

瓊實在忍不住笑，她咧開嘴，「榮，我不知道你會這一套。」

大洋的聲音低沉，「我是一個男人，you are the object of my desire。」

瓊捧着他的臉，「你亦是我渴望的對象。」

大洋迷惘，「這是什麼時候開始的事？」

兩人接着不約而同回答：「第一眼看到你。」

他們緊緊在擠逼的車座擁抱。

瓊微笑，「聽說貴國的少年最愛在車裏親熱。」

大洋輕吻她嘴唇，「我們要找個地方。」

「去我那裏。」

大洋答：「我肯定你那裏有監聽系統。」

「那麼，到你家。」

大洋不願放開她，「金國風氣如墨，把你染黑。」

瓊不再說話，讓大洋開車。

那部車子的引擎，忽然之間恢復生機，活動如常。

到了家門，大洋揹起瓊，一隻手開鎖，進了屋，他讓她下來，她不肯，靠在他背上，摟緊不動。

「你想怎樣？」他輕輕問。

瓊回答：「我想你擁抱我，深深吻我，在我耳邊說盡甜言蜜語，然後用你的大手撫摸每一寸肌膚，你性感強壯的腿繞着我……」

大洋意外，「我不知你會說這樣的話。」

瓊淒然說，「我時間有限，沒有轉彎抹角的奢侈，不久我要回家。」

大洋力氣大，把她轉到他面前，坐他膝上。

「大洋——」

他忽然低聲問：「我們戀愛了嗎？」

瓊不得不承認：「我想是。」

大洋答：「那很好。」

他終於接觸她腋下那一角像絲緞般柔膚，他淚盈於睫，他沒有想到還有機會愛人與被愛。

他的手傷感得顫抖，他們也許是世上最寂寞的兩個人，他失去妻子與胎兒，她則連父母是什麼人也不知道。

清晨，瓊覺得口渴，輕輕起來，走進廚房找水喝。

那廚房同她宿舍一樣，空無一物，只有瓶裝水與啤酒，還有一隻咖啡壺。

她取一瓶水，加冰，喝了幾口。

回到房內，瓊看到大洋打側熟睡，她悄悄走近，取起他的T恤穿上，打量這個男人。

微弱晨光下白色床褥裹着他碩健身軀，他比她想像中多肉，手臂圓壯可愛，叫瓊駭笑的是，他渾身濃密汗毛，胸前，大腿……叫她趨前注視。

瓊正全神貫注審視這美麗的男伴，忽然，他跳起來，瓊嚇一跳，往後倒，被大洋一把抓住。

「你看什麼？」

瓊大笑，「我看你胸脯肉孜孜比我更加發達，哈哈哈哈，又那麼濃體毛，像一張可愛的熊皮氈，呵哈。」

大洋啼笑皆非，只得緊緊把她壓住。

半晌，他問：「你快樂嗎？」

她點頭，「非常開心。」

大洋忽然說：「瓊，留下來。」

瓊答：「今天我並不打算到別處去。」

「不，瓊，留在金國居住，與我結婚。」

瓊怔往，她輕輕伸手摩挲大洋的鬍髭。

「我替你辦理居留。」

瓊不想瞞他，「那是沒有可能的事。」

大洋把她扳過來，看到她眼睛裏。

瓊平靜低聲地說：「我是地震災難孤兒，軍隊協助發掘災區，共廿七人捐獻生命，我由國家養育教導，等於父母一般，我怎可叛國棄國，這等同親手刃母，萬萬不可。」

大洋震盪。

「我將終身服務國家，不以私情為重，我永遠不會離開玉子國。」

大洋吻她雙手。

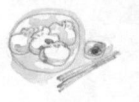

瓊微笑，「我沒有父母，我家鄉在林縣，故此我姓林，瓊，是美玉的意思，指國家之寶。」她給他看腿側一個紋身，「這個標誌與號碼，凡是災區孤兒都有，防不良之徒拐帶孤兒販賣。」

那個小小深藍號碼，在雪白肌膚特別顯現。

大洋惻然，不能言語。

瓊旋即微笑，「或者，你可考慮向我國投誠。」

大洋答：「我是一名特工幹探，那樣做，我也會成為奸細。」

瓊緊緊抱着他手臂，「不要緊，我們還有今天。」

大洋低頭不語。

瓊想逗他笑，「這裏沒有監視系統．」

大洋生氣，「管它呢，他們可以看着我們F。」

瓊掩臉大笑。

下午，他們更衣後到公園騎自行車。

大洋問：「你在蘇丹兩年，之前呢？」

「卡薩斯坦，再之前是蒙古利亞，然後，在軍校。」

「沒有男友？」

「我是軍人，我不想那些。」

「前來金國到底為什麼？」

「觀察風土人情，聽說金國男女熱情爽直，所以在退役之前前來觀光，很幸運，碰到了你。」

「你會按時回國？」

「我必須回國。」

大洋忽然這樣問：「你走了，我怎麼辦？」

瓊輕輕撫摸他的臉，輕輕唱一首歌：「我懷念你的面孔，你在做什麼？每次我伏在枕上，總會哭泣……」

大洋垂頭，「你真殘忍。」

瓊向熱狗小販買了食物飲料，吃得津津有味。

大洋在她身邊說：「或許你會回心轉意。」

「你知道我是一個怎樣的人，我體內並無回心轉意功能。」她一點虛幻的希望都不給他。

大洋看着她，「我倆熟讀對方資料，並無一絲誤會，」他問瓊：「你喜歡我什麼？」

瓊抹去嘴角芥辣，陶醉地說：「一切，」想一想，又重複：「一切。」尤其是他拋下修養回復調皮的時候。

「你太誇獎我。」

他倆在公園坐到日落。

整個週末，他們都慶幸沒有接到緊急電話，兩人每分鐘都在一起，並無特別浪漫節目，不過是說笑喝啤酒逛街市看日落。

大洋讓瓊看他最喜歡的電影城市之光。

瓊從來沒看過這套默片。

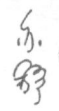

放映五分鐘，她已經淚盈於睫，十五分鐘之後，她淚流滿面，到完場時，那美麗的盲女復明，重遇小流氓，偶然碰到他的手，她有所醒悟，問他：「是你嗎，先生，你可是我的恩人？你可是付款治癒我雙眼的那人」，可是小流氓回答：「不，怎麼可能，我不過是街上混混，替人開關車門……」他不想誤她前程。

電影劇終，大洋發覺瓊仍坐在那裏動也不動。

他輕輕走近，這才發覺她哭得臉都紅腫，只是沒有發出聲音，他把她頭摟在胸前，「這是幹什麼，一個幫戰亂國訓練軍隊的陸軍上校……可憐……那不過是眾多得不到愛的故事之一……」

晚上，他趁瓊熟睡，偷偷剪下她一縷長髮，陪髮簪放在盒子裏。

有時他倆什麼也不做，互相凝視對方，在最不捨得的時候，瓊會微笑，在至開心之際，她反而默默流淚。

「別傷心，他們不會將我倆處死。」

「你害怕嗎？」

「其實不，你呢？」

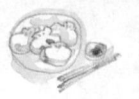

瓊答：「我也不，一生出入血肉橫飛的戰場，怕什麼。」

「那麼，申請與我結婚。」

瓊為難他，「大洋，明早你在辦公室先宣佈婚訊。」

「我會那麼做。」

第二天一早，瓊回宿舍梳洗後回到總部，可兒迎上，「瓊，大洋與華生太太開會，華生一天不見他會吃不下飯。」

馮怡說：「東區警方對這件案束手無策，市裏已經發下哀的美頓書。」

他們聚在檔案桌前研討，瓊走近一看，問朱佳：「這是兇案現場地圖？」

「正是。」

瓊受過嚴格訓練，目光透視能力非比尋常，「紅點是兇案地點，上三角，下三角，朱佳，這是一枚大衛之星。」

朱佳「呀」地一聲，劉奇志探頭過來，「怎麼我們沒看到！」

瓊又把✡畫在地圖上，「中央是什麼？」

「一間裝修中的猶太教堂。」

「受害者是什麼人？」

「呵，均是猶太裔少女。」

瓊看着朱佳，揚一揚眉角，意思是，你應知怎麼做。

朱佳即時說：「立刻通知大洋，我們到那間教堂查探。」

瓊說：「慢着，這個正南角沒有兇案？」

「是，那是一間廢置小學。」

「我想最好也派人去看看。」

「為什麼？」

「因為疑兇不會放棄星正南角，他要求完美及炫耀，才編排這個星形。」

「瓊說得有理，可兒，阿怡，你們去小學，我與奇志往教堂，各自要求警察協助，通知大洋與我們會合。」

可兒抱怨：「太祖婆與大洋究竟有什麼話講。」

瓊忽然說：「可兒，我與你們一起。」

「你躲在我們身後。」

瓊微笑，「明白。」

瓊的豐富經驗叫她產生不安第六感，短短車程裏她一語不發。

可兒猶自說笑，「太祖婆婆愛上大洋，把他當眼睛糖果。」

「看看也總可以。」

瓊想到大洋柔軟的嘴唇，不禁微笑。

馮怡說：「大洋最規矩不過，他雙手從不碰女同事。」

瓊不出聲，昨夜，她才揶揄大洋：「沒想到你雙手那麼活潑」，他哼哼答：

「我是男人，男人的手就是那樣。」

瓊深深陶醉。

車子停下，「前邊就是廢置小學，過兩個月就要拆卸改建社區中心。」

她們一邊下車一邊把避彈衣拎在手中，卻沒有穿上的意思。

瓊沉下臉，如此托大輕敵疏忽，她倆若是她的手下，早已嚴加斥責，作為客人，只得忍耐。

四周靜寂無聲。

「進去看看。」

瓊問：「知會後援沒有？」

「警車很快就到。」

三個年輕女子緩緩走近現場。

這時可兒才開始套上避彈背心，馮怡電話響起：「朱佳說教堂內沒有人。」

來不及了，一隻烏鴉忽然自校舍破窗飛撲出來，接着槍聲響起。

瓊立刻行動，她伸手拔出槍械，朝窗戶襲擊，熱能追蹤子彈嗖嗖飛出，然後張開兩臂，一左一右把可兒與馮怡推到地上。

這時，瓊胸前已被槍彈擊中，撞擊力使她後摔，胸前出奇疼痛，她眼前冒出金星。

只聽見警車已經趕到，可兒與馮怡也爬起扶着瓊，可兒說：「謝謝天，她穿着避彈衣」，馮怡叫：「瓊，瓊。」

她扶起瓊的頭，瓊忽然口咯鮮血，可兒大驚，立刻說：「撞擊力傷她肺翼。」

瓊掙扎說話：「通知玉子國大使館，快，叫他們派醫官到醫院。」她又吐出一口血。

瓊喘息，她忽然微笑，呵，大洋溫柔的擁抱，她忽然流淚。

可兒急急通知大使館及召救護車。

警員自校舍奔出，「疑兇經已被擊斃，校舍內發現無數可怖證據。」

救護車已經駛抵，救護員對兩女說：「你倆頭臉擦傷——」

「我們無礙，阿怡，通知大洋沒有。」

瓊淚流滿面，氣息漸弱，她輕喃說：「抱緊我，不要放我走……」

馮怡忽然大哭：「瓊，你說什麼，瓊，我不但沒有好好保護你，反而要你救命——」

瓊沒聽見她的聲音，瓊只是悄悄說：「這裏，吻我這裏。」

她失去知覺。

醫生比她的救護車先到，鐵青着臉幫瓊自擔架卸下，「這裏一切由我負責，請你們讓開」。

大使在旁一聲不響，看到華生太太，很不客氣地說：「此事如何發生？我國上校怎麼變成你的步兵？」

榮大洋奔進，「她在何處？」

「已進手術室。」

大洋氣急敗壞，「我要見她。」

華生受到玉子大使搶白，已經不自在到極點，一轉頭，看到她的愛將一反常態，平時站如松坐如鐘的榮大洋竟然一臉惶恐。

華生的手用力按在大洋肩膀。

大洋醒覺，盡力壓抑情緒。

駐院醫生走近向他們匯報：「林上校可望完全復元，請勿過份擔心，子彈剛巧撞中她第六條肋骨，插入左肺穿孔泄氣，修補後無恙。」

可兒與馮怡對望一眼，「奇怪，」可兒低聲問：「為什麼他們叫她上校？」

只見大洋聞訊稍微鎮定。

大使低聲對醫生說：「……千萬不可用磁力共振儀。」

「明白。」

接着，她們看到兩名警員駐守在病房門口。

華生太太說：「我們先回總部。」

這時副局長已經駕到，匆匆與大使招呼，並且要求華生匯報。

華生吩咐手下：「你們先回去。」

馮怡壓低聲音說：「這是什麼事，金國總統幾時出現？」

大洋靠在車上，渾身汗濕，臉容憔悴，原來炯炯雙目黯然無神。

「大洋，」馮怡問：「瓊是什麼人，為何如此緊張？」

回到辦公室，大洋一聲不響走進衛生間用冷水敷臉，他脫掉外套，捲起衣袖，返回大堂低聲說：「意外究竟怎樣發生？」

可兒只得一五一十清楚交待。

講完之後，她把佩槍與徽章交出放桌上，「我引咎辭職。」

這時朱佳與奇志回來。

奇志懊惱得吐血，「我竟忘記孫子說的虛則實之，實則虛之。」

大洋嘆一口氣。

「也許令你好過些：瓊堅持要與可兒及阿怡出發。」

大洋氣極反而平靜，「因為她知道若不出去，我組兩名女探會中槍殉職。」

這是事實。

朱佳說：「你記得瓊說過什麼？『看不到射擊目標時，你們用何種槍械自衛』，她的先進武器這次救了性命，大洋，我們裝備如此落後，每次出發簡直似送命一般，兇徒用雲徹斯特水牛獵槍射向她們，子彈是三吋長，射程三百呎，這次算是不幸中大幸。」

大洋氣結問：「可兒與阿怡為何不穿好避彈衣？」

這時他們背後傳來冷冷聲音：「下次你們可會派林瓊臥底？我的臉都叫你們丟盡，局長幾乎要貶我去巡街寫違例停車告票，大洋，我千叮萬囑，叫你把林瓊當太婆婆，每日陪她遊花園即可，你竟讓她身受重傷，瓊是玉子軍隊國寶，她專攻運籌帷幄策略安排，她不是巷戰步兵，大洋……」

忽然她看到大洋雙眼佈滿紅絲，似懊惱得不能存活的樣子。上一次，他的妻兒意外身亡，他也是這個模樣，華生太太吃驚，她不再訓話。

她說：「可兒，把硬件收回去。」

華生回到樓上寫報告。

大洋輕輕對可兒說：「我要你與阿怡幫忙。」

「大洋，赴湯蹈火，在所不辭。」

他低聲講了幾句，可兒點頭。

他們三人再次到醫院，詢問下知道林瓊手術已經完畢，「她很好，一星期內可以出院，不過，謝絕訪客。」

「她總有親友吧。」

「不，除玉子大使及夫人外，沒有探訪名單。」

可兒與馮怡不禁淒然。

他們仍然走到病房門口，只見一名警員坐在門口守衛，可兒出示身份，又遞上一杯咖啡，與他攀談。

馮怡則微微笑，擋住警員視線，「另一位同事呢。」

大洋推開病房門進去。

只見瓊躺在病床，尚未甦醒，小小面孔色如金紙，似無生命跡象，叫大洋吃驚的是，不知怎地，一頭長髮已被剪短，看上去更加稚嫩可憐。

他蹲到病床前，吻她的臉，「蜜糖兒，蜜糖兒。」

可兒才走進病房，聽到大洋如此纏綿，驚訝發獃，連忙咳嗽，接着，主診醫生也進來。

大洋只得站起，他轉身抹眼淚。

醫生說：「各位幹探，請離開病房。」

大洋不願走開。

醫生走近，「我是申醫生，你是榮大洋先生？」

大洋轉過身子，大家看到他雙眼佈滿紅絲。

申醫生溫言說：「榮先生，林上校會康復。」

他們走出病房，守衛警員因失職羞慚低頭。

申醫生與榮大洋一走，可兒便輕聲說：「蜜糖，這是幾時發生的事？」

馮怡聲音更細：「大洋有麻煩。」

她講得一點不錯。

申醫生在辦公室輕輕問：「榮先生，你知林瓊身份？」

大洋點點頭。

「那麼，你與她屬何種關係？」

「我們打算結婚。」

「你倆認識多久？」

「已經一百年。」

申醫生靜一會才說：「年輕人，我知道在貴國，成年男女兩情相悅是男歡女愛十分普通的事，但在玉子國，紀律人員卻還需遵守若干規例，你這樣做，會給林瓊帶來很大麻煩。」

榮大洋十分倔強，「這是金國土地，她一出院我們就可以結婚。」

申醫生看着他，「林瓊是我國軍隊最優秀成員之一，我是一個醫生，我不便追究你用什麼打動她，可是，軍方決不罷休。」

榮大洋攤開雙手，「發動戰爭好了。」

中醫生啼笑皆非，她緩緩答：「我只是醫務人員。」

榮大洋離開辦公室，朱佳在門外壓低聲音說：「華生要見你。」

回到總部，只見華生太太鐵青面孔，來回踱步，看見他們兩人立刻說：「阿勒崗州有事，你們小組五人立刻乘專機出發。」

榮大洋遲疑，「我——」

華生厲聲說：「即刻！」

一小時後，他們一組已在小型專機裏。

朱佳坐在大洋對面，他忍不住說：「大洋，我們只允許與瓊調笑取樂，你這番是怎麼了，一向你最沉着老練，這次發生什麼事。」

大洋低頭看着文件，一言不發。

奇志似自言自語：「瓊是我見過最可愛的女子。」

朱佳說：「奇志，兩國關係錯綜複雜，我們是特工，她是軍人，雙方都擁有太多機密資料。」

奇志說：「我艷羨大洋，他得到她的心，美麗的瓊只視我如小弟。」

「大洋真是神出鬼沒，他什麼時候行動，我竟不知。」

可兒與馮怡也說：「我倆也蒙在鼓裏。」

大洋憔悴地看着窗外。

奇志說：「大洋，你們兩人不如申請證人保護計劃，更改身份，躲到天涯海角，只要有她伴着你，日子並不會難過。」

「何以為生？」可兒睜大雙眼。

「伐木，捕蟹，種草莓……」

「神經病。」

「噓——」

小組逗留兩日，辦妥案件，返回總部。

他們一着陸華生已命榮大洋立刻向她報到。

大洋連梳洗都沒有時間便到頂樓見上司。

華生太太看着他，「大洋，你像阿茲卡班的逃犯。」

大洋回答：「我只有五分鐘，我要去醫院。」

「到醫院見什麼人？」

「你明知故問。」

「見林上校就不必了，她已返國。」

大洋張大嘴，「什麼？」

「他們已把林瓊送走。」

大洋震驚，「去何處？」

「我怎麼知道，」華生太太嘆氣，「軍令如山，何況那是玉子國。」

大洋如萬箭鑽心，「我要見她。」

「大洋，她已回玉子，我們不知她在何方。」

「她會牽記我，我必須與她聯絡，你一定要幫我！」

「大洋，坐下，虧你還是我得意門生。」

她用手把他按下座位。

「大洋，他們有你倆親密時錄影，片段寄到中情處，上頭看過，目瞪口呆，大洋，你竟做出這等事來，枉你還大跳大叫惡人先告狀，這次，我為着你，已永久失卻晉升機會，只怪我判斷錯誤，過份信任你，把她安排在你組裏，你與梅柏不同，你一向最穩重可靠，可是，現在你在中情處有一個綽號，叫單騎征玉子，你想想，你這禍闖得有多大，對方羞辱到什麼地步。」

大洋怔住，作不得聲，一顆心沉到腳底。

「大洋，你知道她身份，她體內儲藏大量玉子軍隊機密資料，決不可外泄，她同意退役。」

那是什麼意思？

「那即是說，她同意把腦部原有晶片取出，另作佈置。」

大洋面如死灰。

「大洋，她從此不會記得你。」

大洋完全凝住。

「一個人的生命由記憶組成——這是我小學同學，那是我第一個愛人與首份工作，那是我故居……現在她已再世為人，另植晶片，另有記憶。」

大洋忽然覺得雙膝痠軟，他未徵得同意，在椅子坐下。

林瓊上校已被處死。

他茫然，的確是他害她，他判斷錯誤，他低估玉子國的軍令，不，他根本無法理解另一個國家的法律。

華生太太嘆口氣，「他們堅持你誘拐林瓊，唆擺她私奔，控訴金國全無道德觀念，極端危險。」

大洋用手掩着臉。

華生太太忽然發現一件事，「你愛她？」她吃驚。

大洋放下手點頭。

「你倆相愛？這是如何發生的事，你與晶片實驗人相愛？」

大洋不予作答，他站起走到門邊。

「你去何處？」

「回辦公室。」

華生太太的聲音極低，「大洋，你恁地天真。」

大洋立刻醒悟，「對不起，華生夫人，我負全責，我即時辭職。」

「大洋，我們已替你安排新職：你將到明縣大學教世界歷史，明白嗎？」

大洋不語。

「懇請你接受安排，免使我組更加痛苦。」

大洋終於答：「這是我最低限度可以做的事。」

他頭也不回離去。

回到公寓，大洋發覺起碼有兩批人仔細搜索過他的家居，書架上每本書都遭到翻閱，冰箱也沒放過，地板全經探測。

他只有兩件珍貴物品，放在大衣口袋裏，他伸手一摸，僥倖無恙，那是一束結成細辮子的頭髮與一枚玳瑁髮簪，他捧在手裏，發一回獃。

然後，他取出啤酒，喝至半醉，才淋浴更衣。

這時，血肉之軀已經疲怠倒下。

大洋倒在枕上流淚，任何人堅持着不哭，那不過是因為他還未曾真正傷心。

他夢見剪短頭髮的瓊站在辦公桌與他説話。

他問她：「瓊，你來這裏，究竟為着什麼？」

「我想認識你。」

他輕輕握住她的手，「我？」

「是，我厭倦刻板軍人生涯，我尋找美麗感情生活。」

「瓊。」他把她擁在懷裏。

「大洋，請不要忘記我。」

在夢中，大洋悄悄哭泣。

那一邊，在總部，朱佳氣急敗壞拉住奇志説：「叫可兒與阿怡説話：大洋辭職，即時生效，他已離開。」

奇志不語。

「你已知道？」

可兒走近，「阿怡調查過，她駭進檔案，查到林瓊返回本國，大洋受到處分。」

「他倆相愛，有什麼不對？」

「那對玉子來說，是叛國。」

「什麼毛病！」朱佳不忿。

「可憐的大洋，喪妻不久，好不容易再度投入感情，卻又分離下場，接連打擊，不知如何承受。」

「他是鐵漢。」

奇志忽然插口：「不，他只是擅於壓抑。」

「奇志，我們這幾個人裏，你最聰明，換了是你，會怎麼做。」

奇志悲痛，「她若愛我，我們一起自殺。」

「咄，這真是孩子氣話。」

馮怡忽然問：「這是羅密歐與茱麗葉必死之因嗎——終於爭取到自由。」

「華生說，梅柏將調到我組做隊長。」

可兒第一個說：「我辭職。」

馮怡也說：「我倆一起。」

朱佳說：「我接受大通銀行保安部聘請。」

奇志站起：「我們先去探訪大洋。」

「對，與大洋說話。」

「華生不讓我們與大洋接觸。」

可兒生氣，「大洋染上伊波拉病毒我亦不管。」

「對，」朱佳說：「至多開除，走，去看大洋。」

他們遲了一步。

奇志在窗沿找到後備鎖匙，開門進屋，已經人去樓空。

大洋本來就沒幾件家具，只見衣櫃已經收拾乾淨，書架也空空如也。

可兒坐下嘆息。

「再見也沒有一句。」

「你打算怎樣，與他抱頭痛哭，抑或告訴他，不要傷心，百步之內，必有芳草。」

馮怡說：「太突兀了，我一時接受不來。」

「這個多月變化多過我們共事六年。」

「我們在一起六年了嗎，唉，少年子弟江湖老。」

可兒說：「聽說，就在這裏，他們拍攝到那段纏綿影像。」

朱佳問：「可有辦法看到？」

可兒不悅：「大塊頭你太過份。」

「華生說：她只看到三十秒。」

「阿怡，你怎麼知道？」

「我打入她的電腦記錄，據她說：這小段彩色有聲的影像，最令她震驚之處，是毫不猥瑣，反而像電影中精心設計過畫面，男女主角十分漂亮，演出動人。」

可兒說：「我的天。」

奇志忽然說：「大洋丟卻工作，也是值得。」

朱佳搖頭，「大洋自法律系畢業之後，在律政署做過兩年檢察官便加入本局工作，他是明日之星，大好前途，十年努力，付之流水。」

可兒忿然，「你懂什麼，你是粗胚，你哪裏知道愛情，你從來不配。」

「你們女人，就愛盲目叫男子犧牲。」

可兒回駁，「瓊的犧牲豈非更巨，她連人也不見了。」

奇志輕輕說：「儘管愛後失去，也勝於終身未愛。」

「聽，聽。」

朱佳說：「你們女生瞎浪漫，試問大洋如何收拾殘局？」

大家沉默。

「他還是得活下去可是，他被放逐到什麼地方？」

奇志卻十分固執，「我不介意做他，他可以不停思念她，他可以做夢看到她，他有她的記憶，」奇志沮喪得不得了，「我什麼都沒有。」

他們欷歔地離開榮大洋舊居。

過兩日，梅柏上任，小組本來打算同時請辭，但是梅柏卻誠懇地說了番合情合理的話，請同事們給他機會，一起工作，冰釋前嫌等等。

連局長也現身說法加一把嘴，勸慰小組留下，眾人猶疑。

「大洋會要我們怎麼做？」

「大洋會希望我們好好做下去。」

「為什麼我們想念可惡的大洋？」

朱佳這樣回答：「因為大洋在辦公時所做一切都屬無私。」

他們打消辭職意願。

奇是奇在梅柏真的改過自新，與同事有商有量，從前的飛揚跋扈全部消失，對女下屬也不再輕佻，他似乎立志把榮大洋當榜樣。

小組又安頓下來，破案率高達九十多巴仙。

華生太太每次探訪他們，都說不出的難過，彷彿只有她一個上年紀的人記得榮大洋，年輕同事太過善忘。

她懷念那高大英俊穩重的年輕人，只要她一聲「大洋呢」，再複雜的案件也可望解決。

他進局裏才廿六歲，她已經四十六，若果不是這段年齡差距，她會放膽追求他，劇本裏的人物與地點都對上了，但時間大神卻嘲笑她。

華生並沒有把愛念放心裏，她喜歡榮大洋，所有同事都知道。

他走了以後，她時時懷疑她會在長廊碰見他，他總是有禮地稱她為女士。

她就是喜歡他，濃眉大眼長睫，飽滿的嘴唇，笑起來左頰有一個酒窩，卻極難得露出笑臉，她愛他的矜持內斂，不像梅柏那孔雀般虛榮。

如今大洋不在她身邊，她忽然寂寥，像老了十年，她計劃退休，對屬下也盯得不那麼緊。

大洋說得對，當時，她應當拒絕林上校這位貴賓，但是，她要面子，她好勝。

華生深深嘆息。

到這個時分，榮大洋在明縣大學教世界歷史，已有一年多光景。

世界歷史是學生最畏懼的科目之一，許多史實年份人名地名需要記誦，戰爭條約清清楚楚一絲錯不得，故此開班時四十個學生到學期中往往已退剩十數人。

但榮大洋不經意又創下新績。

他的歷史班學生越來越多，達六十人後超額，慕名而來的學生得不到學分，也情願旁聽。

不過這時的榮大洋，即使是華生太太看到，也不會記得。

他的大鬍鬚約有半呎長，糾纏鬈曲的頭髮披肩，只大概看到眼睛鼻子，身上永遠穿一件舊燈芯絨上衣，本來碩健身段，已瘦得只剩筋骨。

他沉默無言，不參與任何社交活動，同事背後叫他「怪人」或是「野人」。

一個文學系女教授說：「真想把他強行拖到後巷用那種電動剪羊毛機把他的毛髮全部剃光。」

她被其餘人笑有性虐趨向。

但說真的，誰都想看看榮講師清理後的樣子。

他講課時有一股魅力，深入淺出，感情豐富，描述戰爭，尤其動人：「往往是一班意氣用事的酒囊飯袋支使一群真正英勇的愛國士兵到前線送命……」他舉了多個例子。

學生們聳然動容。

「什麼叫勞師遠征不為也，什麼叫哀兵必勝，什麼叫師出無名，歷史由一場場戰爭組成，戰爭改變歷史……」

課室天天擠滿學生。

講解雖然動聽，但是大家都懷疑講師有可能好幾天沒洗澡，故此與他保持距離，很少走到他身邊發問。

細心的女學生發覺他一雙手相當粗糙，像是做木工或陶瓷的人，他還有一隻十分醜陋老狗，一見閒人就惡形惡狀咧開嘴露出尖齒。

他獨居。

只有宿舍附近的醫科仇教授夫婦對他友善。是有這種人的：獨具慧眼，看人有能力看到心裏，他倆欣賞今日的榮大洋。

兩老甚至想介紹女友給他。

一個聰敏的年輕女子對師母這樣說：「如此怪人，要瞭解或改變他都是吃力不討好的事，讓他關在自己的世界好了，我不會企圖打動他，河裏有的是魚，我不會捨易取難，自尋煩惱。」

又說：「那麼多男人，那麼少時間。」

仇師母猜想這是現代女子最新求偶觀。

榮大洋雙手粗糙，是因為結繩網，他做了繩床，送一張給仇教授，留着特大的自己躺着曬太陽，有時睡着，曬得整個肩膀是雀斑。

仇師母看着繩床，「全是美麗的十洞結，榮大洋心思縝密。」

「他教歷史，自然如此。」

「他的內心世界一定奇幻。」

「也許，單純如小孩。」

大洋像是斷絕七情六慾，每天只管吃與睡，要不就是做功課，像一個小學生。

一日，他在繩網上讀書，忽覺眼睏，迷蒙中看到亡妻抱着幼兒站在他面前，他不禁輕問：「你好嗎？孩子好嗎？」剎那間，他看清她的容貌，「瓊，是你」，他雙眼模糊。

這時有人敲紗門，「我找榮大洋，請問他在嗎？」

大洋驚醒，「哪一位？」

他走到紗門前，看到舊同事劉奇志，大洋一眼認出他，奇志卻猶疑，「我找榮大洋。」

大洋伸手拍一拍他肩膀。

「大洋，是你！」

「進來説話，什麼風把你吹來。」

「大洋，年多兩年，你音訊全無，這就是你不對了。」

大洋看着他，這瘦削的文弱天才書生同以前一模一樣，一成不變。

他讓他喝啤酒。

「還在原位工作？」

奇志説：「我們牽掛你，大洋。」

大洋看着他，「放心，我很好。」

奇志説，「我猜想魯賓遜飄流十年後的樣子與你差不多。」

那隻狗走近喝水。

「你的沙皮？」

「牠是一隻流浪狗，我負責餵牠。」

「大洋，我們四個仍在尋覓，還沒有異性朋友。」

大洋微笑，「特工難找對象。」

「大洋，華生要見你，差我來通報，否則，我真不知你躲在學府。」

大洋意外，「我不打算回去工作。」

「她說是私事，請你乘一次飛機，面談商議。」

「你遠道來訪，就為這個？」

「大洋，我想見你。」

「願意陪我下棋？三盤兩勝。」

「大洋，見華生之際，把鬍髭理一理。」

「你幾時如此婆媽？」

「大洋，我真羨慕你一臉鬍髭，我就沒這種天賦。」

大洋擺開棋子，不到十分鐘就輸給奇志。

「大洋，你已失去爭鬥之心。」

大洋不出聲。

隔兩天，奇志告辭，他也不是沒有收穫，他出入校園，認識一個物理科女生，兩人不知何故談起以色列國防科技研究組諸多小發明，一直談到天明，他們交換了電郵號碼。

奇志再三祝福大洋才回轉。

大洋卻一直未有與華生太太聯絡。

時間與空間對他已失去作用，他不再追求什麼，也無鬥志。

大洋日出而作，日落而息，只要身上不要跳出虱子，他已心滿意足。

一日下午，正在授課，校務處有人進來，到他耳邊説幾句話。

大洋一怔，想一想，對學生説：「早退十分鐘，下一課補回。」

大洋走到接待處，看到華生太太背影，她親身探訪，他忽然內疚，他箭步上前，「Ma'am」他叫她。

華生太太轉過頭，看到一個襤褸的大鬍髭，嚇一跳，從眼神認出是榮大洋，他吻她的手背，她哽咽，「大洋，你忤逆，你不孝。」

大洋握着她的手不放。

接待處職員大奇，野人居然有母親！她找上門來。

「你好嗎？大洋。」

大洋不出聲，像小學生般垂頭。

「你看你，我都不認得你！你見到奇志，為什麼不來找我？我有話同你說。」

大洋低聲說：「我慚愧無言。」

「我問奇志：他還愛她嗎，奇志說，他失魂落魄，仍在失戀，大洋，你還愛她嗎？」

大洋不語。

華生已知道答案。

她們到園子坐下，華生看着她的愛將，忍不住像慈母般撥開他額前長髮，「你可有清洗？」她為他的憔悴心疼。

大洋只是沉默。

「大洋，這次我來看你，是有消息告訴你。」

「我不會再回局裏工作。」

「大洋，我有林瓊消息。」

大洋驀然聽到林瓊兩字，心頭一震，胸膛似被一隻手揪住，他看牢華生太太。

「真沒想到玉子軍方如此文明，即時同意讓她退役，更換身份，過新生活，大洋，他們且慷慨讓她出國。」

大洋呆半晌，「她在何方？」

「咫尺天涯，她正在明縣居住。」

大洋跳起，淚盈於睫。

華生太太嘆口氣，「你仍愛她，有增無減。」

「她現在叫什麼名字，有無職業？」

「她仍叫林瓊，她是一個畫家。」

「畫家？」

「她的畫風近英國十八世紀畫家勒斯保羅，用色及筆觸異常秀美，深受女士們歡喜，她們找她畫肖像，據說，筆觸可以透視到畫中人寂寥與無奈神情，有口皆碑，已聲名鵲起。」

大洋喃喃說：「晶片。」

「但是，大洋，她已重生，她不會記得你。」

大洋問：「可有她的地址？」

華生太太把資料給他，是，是她。

大洋用手指輕輕撫摸照片中人，她頭髮剪短，齊肩中分，往耳後梳去，一臉清秀，穿一件白色襯衫，十足一個藝術工作者模樣。

她的履歷：皇家藝術學院院士……她在明縣市中心有一爿畫廊。

大洋用手掩住面孔，他終於可以再見到她了。

忽然他覺得身上破襖太熱，他把它脫下。

華生的眼光一直沒有離開過他，她那時愛他，此刻也愛他，她輕輕撫慰他的手臂，他瘦了不少，但手臂仍然強壯。

「大洋，你要有心理準備，她已有親密男友。」

大洋不放在心上。

「別傷害她，也當心自己。」

大洋點頭。

「我們都愛你，希望你快樂。」

大洋擁抱她一下。

「我要回去了。」

「謝謝你。」

華生太太牽牽嘴角，轉身離去。

大洋立即照地址趕到市中心，在橫街看到那間小小畫廊，它有個很好聽的名字，叫琳廊，把林與瓊字都嵌了進去。

他在門口徘徊，不見伊人，終於忍不住，站近玻璃門，有一個女店員看到他，拉開門，做了一件奇怪的事，她給他十塊錢，揮手叫他走開。

榮大洋開頭還不明白她的意思，剎那間他醒悟：她把他當乞丐！

這一驚非同小可，大洋立刻離開畫廊大門，找到一間理髮店，進去坐下，「剃光」，他說。

理髮師傅看到他，嚇一跳，「雙倍。」

大洋點頭，半小時後，他又是一個英俊的年輕人。

可是，身上衣裳也得換過。

大洋十分感慨，大學愛才，竟如此縱容他不修邊幅，一走到外頭世界，人家當他是叫化子。

他瘦多了，衣服減足兩個號碼，他先挑幾套合身便服，再購買西服領帶。

大洋雙手一直顫抖，重新開始做人的何止是林瓊，他何嘗不是。

老實說，逃避有逃避好處，什麼雜務都不管，三天不洗澡等閒事，今日，他又得從俗：先收拾自身，再清理家居。

他把舊報章雜誌罐頭雜物收拾出來，有點依依不捨，這些垃圾都曾給他安全感：你要丟掉我，先得把它們也處理掉，這可不是那麼容易的事。

仇教授看到，「喂，你，你是誰？」

大洋轉過頭，仇老看到，「大洋，你。」好不意外。

仇師母出來，「什麼事大呼小叫」，她也看到大洋，「喲，原來榮先生如此英俊。」

大洋只得微笑。

第二天上課前，他又到琳廊門口靜候。

就是昨天那女店員，她又一次推門出來，大洋退後一步。

但這次她的反應完全不同，她朝大洋甜蜜微笑，「這位先生，歡迎入內參觀。」

啊，先敬羅衣後敬人。

這勢利的社會。

大洋移動腳步走進店內。

他看到幾幅陳列作品，不禁走進凝視，啊，畫如其人，異常秀麗，其中一張三個孩子，各有各忙，神情活潑，同一般畫像與油畫照片完全不同，用粉彩繪成，活潑得叫人心身暢快。

林瓊現在是個美術家了。

店員很識相，一聲不響，由他靜靜觀賞。

大洋問：「林小姐在店裏否？」

她回答：「林小姐在二樓作畫。」

大洋心突突跳起來，這麼近，又那麼遠。

「這位先生，請喝杯茶解渴。」

如此好招待。

大洋輕聲問：「潤筆如何？」

女店員笑着給他一張小小卡片，「排期一直到明年下旬，需要預約。」

大洋低頭看卡片上價目，定價十分簡單：每平方英寸一百元，美金結算，還怕喜好風雅的顧客不明白，舉例：一呎乘兩呎畫像工價約三萬美元。

近年已經極少露笑的榮大洋忽然咧開嘴，啊，親愛的瓊，他們下了何種手腳，令你變成一個成功生意人。

「這位先生貴姓？」

「我姓榮。」

「榮先生想畫一張什麼樣的畫像？」

「我只能負擔兩吋乘兩呎的微型畫。」

「榮先生，微小畫像是古人帶在身邊的恩物，不過，琳廊最低尺寸是一呎乘兩呎。」

「明白，請問林小姐什麼時間下班？」

「她並無規定工作時間，通常請人客上午十時許報到，到中午時分休息。」

大洋點頭，她生活相當舒適，他放心了。

「她……好嗎？」

店員一時不大明白，「您指誰？」

這時大洋看到角落有一副畫，人物熟悉，咦，這不是仇教授與師母嗎？

畫中兩老正相視而笑，雙手緊握，背景是一扇窗戶，窗外是賞心悅目的藍天白雲碧海。

林瓊認識仇老！

啊，這是機會。

大洋還來不及高興，有人推門進店。

那人一開口便熟稔笑問：「瓊還在忙？」

大洋忽然心酸，瓊，你這樣親暱叫她，你是什麼人？

他轉過頭去，那是一個滿面陽光的年輕人，一看就知道比大洋小幾歲，手臂肌肉鼓鼓的好不壯健，雪白牙齒，深深酒渦，討人喜歡。

女店員答：「青山，你來了，她尚未完工，你別打擾她，你到別處等她。」

「明白。」

那個叫青山的年輕人又推門出去。

大洋欷歔，呵，美麗的瓊，你並沒有等我。

他向店員道謝，也離開畫廊。

仍然緣慳一面。

回到課室，學生魚貫入內，看到一個神情憂鬱書卷氣極濃的英俊男生在白板上寫字。

這是誰？

榮先生呢，這是代課講師嗎？

他轉過頭來，啊，只有眼睛最真，學生們立刻認出是榮大洋講師，他們竊竊私語，他整理儀容後，原來如此漂亮。

這是怎麼一回事？

（三）

每個星期天下午，林瓊照例在社區中心兒童班教美術。因是夏季，她教五至八歲孩子做孔明燈及風箏，彩紙糊了一地，孩子們高興地拉着製成品到處奔跑，一邊大叫。

下課了，家長一個個領子女回家。

頑皮的小泉走近老師，伸出胖手，把兩張剪成心形的紅色薄紙貼在林瓊兩腮。

小泉媽連忙說：「對不起林小姐。」拖着兒子走。

「沒關係。」

小泉掙扎不果，被母親扯走，他不甘心，轉過頭大聲問：「林瓊林瓊，你會嫁給我嗎？」

林瓊笑不可抑，高聲回答：「小泉，我答應與你結婚。」

大家都笑。

孩子一個個被父母接走。

不遠處坐在長櫈上一個穿西服男子好像已經等了十來分鐘。

林瓊看了看學生，只剩浩雲與鳳至兩個孩子。

她揚聲：「請問你等誰？」

一邊收搶桌上雜物，一邊把臉上紅心紙抹下。

那男子站起走近。

林瓊看着他，男子約三十多歲，正是男性的流金歲月，剛剛成熟，又未至油滑，已經明白世事，可是又未致失去理想。

他長得十分英偉，寬肩長腿，態度溫文。

可是一開口，卻叫林瓊訝異。

不，他不是說了什麼不雅調戲語言，他只是輕輕問：

「瓊，你還記得我否？」

林瓊看着濃眉大眼但帶些抑鬱的他，客套地問：「我們見過面嗎？」

他似乎失望，凝視林瓊，「瓊，我是榮大洋。」

這時最後一位家長來領走鳳至及浩雲。

林瓊看着這位榮先生，「我們認識嗎？」

「瓊，你一點記憶也沒有？」

林瓊警惕，她取起背囊走到門口。

那人追上，「瓊，我們可以一起喝杯咖啡嗎？」

林瓊盡量溫和，「我已經有男朋友。」

剛好義工同事小鄧走過，她立刻挽住他，「這是我男友。」

她拉着他走開。

小鄧受寵若驚，「我是嗎，瓊，我喜歡你不止一兩天了。」

林瓊低聲說：「那人好奇怪，他問我可記得他。」

小鄧反問：「你想想，他可是你在某酒吧——」

「啐。」

「或者大學時間某夏令營——」

林瓊輕輕答：「我記得每一個朋友。」

「那麼，下次再見到他，請你揚聲。」

林瓊走到車前，還沒打開車門，那自稱姓榮的男子已經走近。

林瓊對他說：「你為什麼跟着我？我男友就要出來。」

他忽然調皮地笑笑，隨即低下頭，覺得不應揶揄林瓊。

林瓊攤攤手，「我不認識你。」

她上車駛回家。

一推開門便揚聲問真男友：「青山是你嗎？」

他高聲回答：「在廚房做司空餅。」

難得有個願意下廚的男友。

他探頭出來，「咦，你的臉色有異。」

林瓊洗把臉，「今午，有學生向我求婚。」

「啊，我被人捷足先登。」

「是，我已經答應他，只要等十五年，他便成年。」

「那多好。」

楊青山放下香噴噴新鮮出爐的司空餅，趨向前擁抱女友，「這麼說，我同你是在偷情囉。」

林瓊撫摸他強壯背肌，輕輕說：「還有一個已成年陌生男子，堅持我應當認識他。」

「呵危險。」

「可是我搜索記憶，肯定從未見過他。」

「他是否一個容易忘記的人？」

「問題就是這裏：他高大英偉，相當漂亮，他不是難記起的人。」

「管他呢，反正你已忘記他，現在，此刻，以後，將來，你都屬於我。」

青山把奶油蕉在女友唇上，然後想吃掉，不料她先舔進嘴裏，他徒呼荷荷。

晚上，他倆結伴看大學戲劇組演出羅密歐與茱麗葉。那一對年輕演員異常投入，林瓊看得淚盈於睫。

青山在她耳畔低語：「這類得不到的愛式故事永遠收買你心。」

林瓊答：「因你未知其中慘處。」

台上旁述者正在高聲作出結語：「世上沒有其他故事，悲慘一如茱麗葉與她的羅密歐。」

「你又知道嗎？」

林瓊心中一動，像是想起什麼，不過似打開一扇門，房間裏卻空無一物，好不惆悵。

劇終，他倆魚貫而出，瓊忽然看到一個人。

他仍然穿着深色西服，白襯衫，結領帶，在不遠之處看着瓊。

這分明是盯梢，或是說得嚴重點，潛獵。

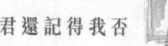

但不知怎地，除出感覺欠佳，瓊卻不覺害怕，當然，不是因為他長得斯文，許多惡人都外形漂亮，瓊心底有種感覺：他不會傷害她。

然而，女性的第六感一向是那樣著名不可靠。

他與朋友在一起，也許，人家也只不過來觀劇。

青山問：「你看什麼？」

瓊連忙微笑。

「我們到新開的葡萄架酒館去喝一杯才回家如何。」

「我累了。」

青山摟着她腰，「我陪你回去。」

「不用。」

青山看着她，「從前你總是纏住我不放讓我幾乎喊救命，現在你已不那麼愛我。」

瓊笑，「胡說，我從來不曾纏住任何人。」

「你不反對我去老相好吧。」

那是另一間酒館的古怪名字，瓊看着他，「真的碰到老相好，別又點燃火頭。」

青山任職廚師，他每週主持一個十分受歡迎的電視烹飪節目，他的朋友，全在飲食界，最近，他計劃做酒吧生意，四出考察。

瓊獨自開車回家，梳洗休息。

凌晨醒轉，她覺得肚餓，到廚房，看到青山為她做的司空餅，她斟一杯牛奶，吃起宵夜。

門外有車經過，燈光一閃，瓊到窗前張望，她並沒有看到什麼，那個陌生人可沒站在門外靜候。

瓊伸懶腰，打個呵欠，她本想再睡一覺，可是天空已經魚肚白，她提早回返畫廊。

瓊把畫筆顏料取出。

不久有人推門進來找她，「林小姐早。」

瓊抬頭看到人人都尊敬的醫科教授仇老，她笑着站起，「仇教授，有事找我？」

「師母想請你茶敘。」

「是我榮幸。」

「有幾個新畫家的作品找你法眼探察一下。」

「不敢當。」

「下午三時可以嗎。」

「我會準時。」

瓊帶着一盆蘭花與糖果到仇府，她與仇氏是老朋友，不收畫費，畫像是他們金婚禮物。

不知自幾時開始，女生開始互贈鮮花，不再待異性侍候，兩年多楊青山從未送花給她，她也不介意，她只要他給她做宵夜。

瓊遲到一點，仇師母已經把十來張畫擺在書房待她品評，一眼看去，五顏六色，雜亂無章。

仇師母給她一杯雨前龍井，笑說：「瓊你越發像一朵鮮花，秀色可餐。」

瓊也笑，「那並非我做人目標。」

「你目標是什麼，會否高且遠，遙不可及？」

「不不不，師母，我只希望與愛人天天吃喝玩樂。」

瓊邊說邊瀏覽那些畫。

「如何，可值得投資？」

瓊不予置評，只是攤攤手。

「沒有一張及格？」

「各人眼光不同。」

「會否要求過高？」

「除出對藝術要求高一點，我們還能做什麼？」

仇師母笑，「你說得也對。」

這時，書房外傳來仇老笑聲：「林小姐來了，我介紹一個朋友給你認識。」

仇老一直叫她林小姐，他們老式人覺得對異性客氣是一種禮貌，直呼年輕女子芳名，似恃熟賣熟的登徒子。

他身後跟着一個熟悉的身影。

那高大英偉的身段屬於榮大洋，不是每個長得高的人都好看，不過榮大洋實在漂亮瀟灑。

他仍然穿着西服，不過這次沒戴領帶。

瓊略為意外，「榮先生，是你。」

仇老笑說：「你們見過面？大洋一定要我正式做介紹人，我告訴他，你已有男友。」

瓊不禁問：「莫非榮先生也在大學任職。」

仇老答：「他教世界歷史，我與他父親是同學，我這個伯父，看着他長大。」

這時師母端出糕點，「大洋你可要啤酒？」

「我喝茶就好。」

瓊看着他，「你找到保人約見我，究竟要說什麼，我確實想不起我從前見過你。」

大洋只是看着她微笑，眼神裏有種迷惘的逼切盼望，他只是輕輕說：「你氣色很好。」

林瓊看着他，「你知道你其實毋須這樣做：編個故事『喂，我們從前是……』像你這樣英俊男子，又有優職，本身已十分吸引。」

大洋低聲問：「是嗎？你覺得我有條件？」

瓊不想與他在這個題目上糾纏，她陪師母走到長窗前。

「咦，」瓊說：「那個原始北京人不在天井。」

師母尷尬，「瓊——」

大洋問：「誰是北京人？」

瓊笑：「教授的鄰居，有太陽的時候，他時時光着上身在天井全神貫注織繩網，他不理髮，也不剃鬚，渾身汗毛，像尼安陀時期原始人，我叫他北京人。」

師母臉都紅了。

大洋一怔：「啊。」

瓊笑，「他是那麼特別的一個人，我替他做了張速寫，尚未完成，我取給你過目。」

瓊走進仇教授書房。

大洋感慨萬千，他千思萬想縈念不已的伊人，原來早已見過他，並且在他不知情底下替他畫像。

師母賠笑，「大洋，你別介意。」

「不會，不會。」

瓊取出一張畫遞給大洋觀看。

大洋一看呆住，整張水彩畫用一種金棕色調，一個長鬚長髮男子，彎腰在做手工，他身上筋骨纖毫畢露，特別是他的汗毛，胸前像亂針繡，然後在小腹匯集成一條紋，在陽光下閃耀。

可是畫像中人臉卻只有一個輪廓，不過那道濃眉錯不了屬於榮大洋。

師母說：「呵瓊，這幅速寫好看之極。」

「還差手臂上肌肉未完工，我從未見過如此野性的人。」

大洋想：這是在說我呀。

他渾身軟洋洋，沒有言語。

半晌他說：「謝謝你。」

瓊意外，「謝？」

師母咳嗽一聲：「瓊，實不相瞞，這北京人就是榮講師，他剃掉大鬍鬚，你不認得他了。」

瓊不置信，「這是你？你為什麼去掉性格毛髮變成一個普通人？」好不失望。

大洋心花怒放，瓊到底是他可愛的瓊，別人把他當討飯的流浪漢，她卻看出他的性格，還替他作畫。

他把畫擁在胸前，「謝謝你。」

瓊駭笑，「喂，我沒說要把畫送你。」

「呵，對不起。」他把畫交回。

瓊仔細凝視他五官，「你應當留鬚。」

仇師母反對，「大洋好不容易振作起來，你別誤導他。」

瓊好奇，「你遭到傷心事？留鬚因為明志？」

師母拉她走開，「大洋，藝術家往往直率，你莫見怪。」

他們一頓中式下午茶吃得十分愉快。

師母做了三種餃子：素餃、雞肉及羊肉餃，瓊吃得多，可省下晚飯。

「大洋，你代我們送瓊回去。」

大洋應一聲。

在門口，瓊問他：「你願意繼續做模特兒讓我完成畫作嗎？」

大洋微微笑，「需要裸體否？」

誰知瓊純以工作點出發：「只需脫去上衣。」

「是我榮幸。」

「星期三下午四時可以嗎？那時陽光最好。」

大洋忍不住調笑，「你那叫小泉的小未婚夫不會喝醋吧。」

「啊，小泉，我的至愛。」瓊眉開眼笑。

大洋感喟：「新一代多勇敢，即時大膽表達愛意。」

「榮先生，你似有許多遺憾。」

大洋問：「你可要參觀我手織的繩床，可送一張給你。」

「真的？」

「我有張金錢結雙人床你必喜歡。」

「還有什麼花樣？」

「雙喜結與蝙蝠結。」

「看過才說。」

大洋把她帶到門口，他意外地看到有一群人在門口等他，一見他便嚷：「大洋，你老人家無恙？」「掛死我們」，「太沒良心，音訊全無」，「瘦多了，但是眼神淩厲，仍似不饒人的樣子」，七嘴八舌，連着笑聲不絕。

原來是朱佳、奇志、可兒與馮怡他們四人找上門來。

可兒眼尖，看到大洋身後的高眺女郎，「瓊！」

馮怡撲上，「瓊，你與大洋在一起，太好了，你們又找到了對方！」她眼睛忽然通紅，「可是，為什麼瞞着我們？」

瓊驚訝地看着這組人，奇怪，他們好像同她非常熟稔，可是，瓊卻不認得他們。

可兒說：「瓊，兩年前你不告而別，我們還沒有謝你救命之恩——」她忽然走近緊緊擁抱，不管三七廿一親吻她，有一下還吻到瓊的唇。

幸虧瓊是做美術的人，天性豁達，不以為忤。

接着朱佳與奇志也要求擁抱。

親熱過後，瓊仍然莫名其妙，他們不但認識她，看樣子還是好友，他們到底是誰？

馮怡輕輕說：「大洋，你終於可以與你的蜜糖兒在一起了，精誠所至，金石為開。」

瓊只覺得他們坦誠可愛，但誰是誰的蜜糖？

朱佳說：「瓊，幾時我們再喝綠苦艾酒。」

可兒穿小背心，上半邊豐滿的胸脯外露，毫不避嫌，靠近大洋，碰到他的手臂，咦，瓊想：這北京人也不是沒有見過世面，他編「你記得我否」這種故事也選擇對象，她有點心軟。

瓊看看時間，「我有事回畫廊，失陪。」

「我送你。」大洋走近。

「你有朋自遠方來，不必拘禮。」

她瀟灑告辭。

瓊一出門，可兒便說：「益發漂亮了，彷彿增磅，皮膚水靈得是可以吃下肚的樣子。」

奇志心緒清，「她好似不復記得我們是誰。」

馮怡說：「瓊從前有一種神秘感，現在被亮麗取代，失卻異國情調。」

朱佳說：「大洋，幾時宣佈婚訊？華生與我們殷切等待。」

大洋坐着不出聲。

可兒說：「大洋，別難過，慢慢來。」

奇志另有見解：「她即使一輩子不記得我，我大可從頭開始，她還是她，我仍是我。」

劉奇志永遠獨門心思，講的話似通非通，可是這幾句卻印到榮大洋心坎裏。

「大洋，我們要到梅城辦案，這次不過路過，見到你很高興，你棄武從文也成績斐然，好好保護林瓊。」

大家依依不捨告別。

剃卻大鬍髭的大洋像是恢復若干朝氣，上課時學生漸漸願意接近他，尤其是女生，忽然感覺到一股不大容易抗拒魅力，「呵，原來他是左撇子」，「他左頰有酒渦呢。」「高大英偉」……

下課他仍然駕車到畫廊看視伊人。

他見到白衣白褲的林瓊向小販買零食。

那是一支在巧克力醬裏浸過的香蕉，大洋忍俊不住，這叫好事之徒看到不知有多少文章。

可是瓊大方地站在街角吃得津津有味。

不久有一個年輕男子走近，搭住她香肩，張口去吃她手中零食。

大洋酸溜溜，這該是她現任男朋友吧。

今日的林瓊自由奔放，與昨日的矜持含蓄，有雲泥之別，但說也奇怪，大洋心中對她愛念卻絲毫不減。

就在這個時候，一輛哈利牌超滑型機車飆至停下，司機大聲叫：「瓊，你是隻狐狸，你竟忍心丟下我另結新歡！」

大洋聽到發獃，嗄，狐狸？

只見司機跳下車奔近一手揪住情敵，「你是誰？你趁我到中東出差撬我女友？」

大洋震驚，沒有想到瓊如此倜儻。

他發獃。

兩個年輕男子當街撕打起來。

這還成何體統！

大洋連忙把車子U轉到畫廊前停住，響號招手，叫禍水女上車。

瓊如遇救星，跳上車由大洋載走。

她居然還好意思轉過頭去看那兩個男生鬥成如何局面。

大洋鐵青面孔把車駛遠。

「真巧，多謝你幫我解圍。」

大洋生氣，騰出一隻手把她的香蕉搶下丟出窗外。

「咦，這是為何？」

大洋斥訓她，「你也不小了，這樣鬧，名譽毀壞，有什麼好處？」

瓊看看他，忽然咧嘴而笑。

「你還有膽子嘲笑我？」

瓊答：「笑你似訓導主任。」

大洋氣結，如此調皮，根本不是他的林瓊。

「你這人真有趣，這樣古板，卻又懂盯梢，自相矛盾。」

「騎哈利機車的是什麼人？」

「樂隊鼓手，我們只來往六個月，經已分手，他不接受。」

「我的天，挨揍那個呢？」

「那是青山，他是廚師。我們也只認識半年左右。」

「之前還有？」

瓊好不意外，「那當然啦，怎可沒有男朋友。」

大洋把車駛進公園小路停下。

「怎麼了？」

「你真叫我失望！」

瓊大奇，「你為什麼要對我有期望，你是我大哥？」

大洋心疼地看着她，他一廂情願，以為找到瓊之後，即使溫婉智慧的她對他不復記憶，他也可以慢慢打動她，但今日的瓊卻變成個放縱女，由來大洋最怕這種個性，他說不出話。

這時瓊問他：「車子怎麼了，車子為什麼不動？」

大洋賭氣，「引擎壞了。」

他想起當年也用這個幼稚低劣藉口與林瓊上校溫存，不禁鼻子發酸。

瓊見他雙眼紅紅，本來想哈哈大笑，苦苦忍住，輕輕問：「你想怎樣？」她明

知故問。

大洋沒有回答。

她靠近他一點，「你要親吻可是。」

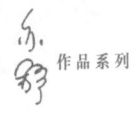

大洋聽了這句話，如火上添油，提高聲音：「唇吻是人類極親暱行為，應當謹慎選擇有限對象，你聽你口氣！彷彿吃冰淇淋：喂，來一個，你如此隨便放肆，叫我齒冷，你結婚時如何向丈夫交代？」

誰知瓊不但不生氣，還露出雪白牙齒咧嘴而笑，「他女友不一定比我男友少。」

大洋更氣，「你頑劣不冥。」

瓊忽然伸手摸他臉頰，「你這人好奇怪。」

大洋哽咽，她腦裏嵌着晶片，不折不扣是個怪人，卻又強詞奪理說他不正常。

她調侃他：「要不要隨你。」

大洋說：「不要！」

「那開車吧！」

大洋卻改變注意，他緊緊擁抱她至不能透氣，唇靠近她的臉，臉頰火燙，他終於落淚。

瓊詫異到極點，她撫摸他強壯背脊，「不必如此緊張」，她輕輕說，她從未嘗過如此深情親吻，她有點感動。

她稱讚他：「沒想到你是接吻好手。」

大洋把下巴擱她肩上，「我還會其他。」

瓊微微笑，「我不敢小覷你。」

大洋說：「我是你，我會找個地方躲一躲，避開那兩個鬧事男子。」

「你去什麼地方？」

「我回家。」

「正好，請載我到仇教授處。」

瓊躺在仇宅沙發上發獃，臉頰似還留着滾燙唇印。

仇師母給她一碗綠豆沙，瓊邊吃邊問：「榮大洋是個什麼樣的人？」

師母嘆口氣，「傷心人。」

「願聞其詳。」

「他個性內斂，我們所知不多，只曉得他在父母辭世後加入聯邦調查局，與女同事結婚——」

瓊聳然動容，「他曾是一個佩槍的幹探？」

「——妻子不久懷孕，但在生產中意外身亡。」

瓊怔住，該剎那她完全原諒他行為怪異，在太平時節和平國家罕聞如此慘劇，她懊悔揶揄他。

仇師母再嘆口氣，「後來，他又愛上了一個女子。」

還有？

「但是聽說環境極端不允可，他們也只得分手，大洋轉文職教歷史，也有兩年了。」

「什麼叫環境不允？」

「我們也不清楚。」

瓊輕輕說：「世上沒有那種事，不能在一起，皆因愛得不夠。」

仇師母說：「你看大洋多失意，幸虧他現在是鄰居，我們可以看着他一點。」

「可憐啊。」

瓊告辭，轉至另一邊，輕輕敲榮宅大門。

沒人應，她推開門擅自進內，看到大洋躺在書房內掛着的一張繩床內盹着。

他裸胸，只穿着一條破舊牛仔褲。

這個男子在睡着時真是好看：濃眉長睫，筆挺鼻樑，滿腮鬍髭，強健胸肌，每一寸都那樣英偉。

瓊輕輕走近。

猛不防他伸手把她一把拉進懷裏，繩網把他倆緊緊裹住。

他在她身邊說：「你來了。」

瓊不出聲。

他低聲說：「你別後悔，我這人十分古板，且又妒忌，你要是成為我的女友，卻又不忠，我不生氣，也不吵鬧，我會把你掐死，然後自首。」

瓊一時不能肯定他是真是假。

隔一會她期艾說：「我想我還是告辭為佳。」

她掙扎滾下繩床。

她說：「大洋，很少男子會對女友發出如此可怕死亡警告。」

他很平靜，「你想清楚再來。」

瓊不以為然，「我只不過要求片刻溫柔，算了，大洋，星期三在畫廊見，模特兒一般時薪是——我可以多付百分之二十。」

她悄悄離去。

瓊想：榮大洋心靈重創未癒，他並無心理準備再度約會，他也不清楚究竟要些什麼。

這個星期三下午，比別的星期三下午，來得比較慢。

瓊本想在樓下等他，可是被客戶電話纏住，只得在二樓應酬，一邊架起未完成的畫。

就在這時，木樓梯響起，瓊抬頭，看到滎大洋推門進屋，他先看到穿白布裙的瓊，她在裙上繫一條顏料斑斑帆布圍裙，作為工作服，頭髮夾起，眉目清麗。

他呵一聲，瓊用一枚玳瑁鑲銀邊雲頭花紋髮簪，與他珍藏的那管一模一樣，原來髮簪共有一對。

瓊輕輕說：「請坐，鬆弛，在你身邊是長島冰茶。」

他打量畫室，這寬敞無間隔的閣樓真是舒服小天地，除出是工作間，也是休息室，一列特別設計向南天窗，照得每呎空間都明亮愉快。

瓊坐在一張高櫈子上，頭髮毛毛，毫無化妝，活脫是藝術家，自然神情至為可愛，怪不得許多男子都喜歡做文藝工作的女性。

大洋看到牆上掛着一條黑色馬鞭與一套轡具。

瓊輕輕説：「著名的愛馬仕廠以做馬具為始，手工至為考究細緻，這一套由友人訂製送贈。」

不知怎地，大洋覺得馬鞭與馬韁十分情色，他忽然臉紅。

大洋靜靜看着瓊用小瓷缸調製顏料。

她走近，忽然伸手解大洋襯衫鈕扣，大洋退後，「喂，」他説。

「你自己脱吧。」瓊微笑，「褲頭拉低些，對，坐好。」

他尷尬，「需多久？」

「一小時。」

縈大洋調侃自己每況愈下：先是攜槍的特工小組長，再靠嘴巴説書，今日，在畫家面前露肉。

瓊拿着顏料走近，先用排筆掃在他上身，稍後發覺效果不理想，索性用雙手當工具，她把金棕色顏料抹遍大洋上身。

大洋在她雙手按摩下覺得全身酥麻，舒服得像孩提時期被父母輕輕愛撫頭臉，他凝視瓊側面，只見她全神貫注把他手臂胸膛當畫布，揉得顏料在不均勻之下有一個佈局。

然後，她把他的手臂放在她要求的位置，開始工作。

大洋看她，她也看着大洋。

畫室靜寂一片，只有天窗上飛來兩隻白鴿，在玻璃上走來走去。

大洋雙臂有點僵硬，要求小息。

瓊喝一口酒。

「那是什麼？」

「克魯克玫瑰香檳。」

「做畫家彷彿很舒愜的樣子。」

「是嗎，作品賣不出去之際可是要準備喝西北風的啊。」

「做藝術也得與孔方兄打交道。」

瓊閒閒說：「這是真實世界裏的商業社會，每一個行業，都要設法賺取利

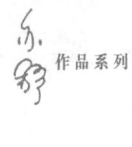

潤。」

大洋微笑，這個林瓊，再也不是從前的林上校。

這時瓊忽然說：「你知道嗎，從前男性裸體並不是稀罕的事，一九二四年巴黎奧運會的宣傳海報上是三個壯健裸男，下體用棕櫚葉裝飾，不知怎地，到了六十年代，世人忽然畏羞，遮遮掩掩，廿一世紀，更嚴禁男性前正身裸露。」

大洋聽她娓娓道來，理直氣壯，像描述太陽系八大行星，不禁啼笑皆非。

他把襯衫輕輕拉過來遮住大腿。

瓊把他手臂放回原來姿勢，他拉住瓊的手不放。

瓊輕聲說：「就快完工，耐心點。」

她回到櫈上，仔細用筆。

她說：「我最怕現時年輕男子千篇一律健身目標：大胸肌、六塊腹肌，體毛統統剃光，打蠟，搽油，曬焦，像隻光雞，有啥美感？」

大洋笑得嗆咳。

「大洋，你有難得自然運動家好身段，可惜把鬍髭剃掉，願意長回來嗎？」

她終於完成最後一筆。

大洋伸手招她，「過來。」

她坐着不動，淘氣地說：「你過來。」

大洋不肯遷就她，瓊取過油彩，抹在手心，走近，把紅與黑抹在他臉頰上。

大洋擁抱她腰身，「你想清楚沒有？」

瓊答：「自由最可貴。」

這時助手敲門進來，她佯裝看不到他倆，站在屏風後報告：「泰福先生到了，在樓下等。」

瓊說：「我很快下樓。」

「他要看畫版。」

「剛剛完成，油彩未乾。」

「還有，青山找你，他讓我轉話，他說，他是否原諒你，要看你有無誠意道歉，並且，設法保證以後不會再犯。」

瓊忽然微笑，那笑容終於擴張到露出牙齒，像是聽到世上最荒謬笑話一般。

她轉過頭與大洋說：「我的私人廚子被你氣走，我將挨餓。」

大洋正用毛巾抹去身上油彩，聽到這話，不禁笑起來，「你混賴，關我什麼事。」

「當然怪你，」瓊淘氣地說，「你在這裏，我就賴你。」

她幫他扣鈕扣，他連忙說：「我自己會。」

瓊笑着取過那幅金棕色的半身人像素描下樓見客戶。

泰福是著名時裝設計師，已去到國際打拚，為了找一個新的形象廣告煞費躊躇，見到瓊，他張開雙手，「瓊，救我。」

他隨即看到她手上那張兩呎乘三呎的水彩畫。

他接過，一看，即時入迷，凝視良久，用手輕輕撫摸畫面，低聲問：「這是真人還是想像？」

「模特兒。」

「世上竟有這樣好看男子，你從何處尋得？」

瓊低頭微笑，「他在大學教歷史，不是我找他，他找到我。」

「他可是——」

「不。」瓊相當肯定，「他有女朋友。」

泰福不甘心，「這樣美男子，怎麼會喜歡女子。」

瓊啼笑皆非，「謝謝你。」

「我可以見他一面嗎？」

「他就在樓上，我去問他。」

瓊回到樓上，大洋剛預備離開，「瓊，我都聽到了，我還有事，我想告辭。」

「大洋，不要偏見，我不是想pimp你。」

她拉起他的手，大洋心軟，喜歡她的手，只得跟她見客。

泰福看到大洋真身，更加發獃，「你比畫更高大漂亮，不過少了若干滄桑

感。」

大洋不知所措，只得說：「我還有事，失陪。」

泰福看着他背影，「真是一個叫人心動的男子。」

瓊說：「我們做文藝工作的人才覺得他好看。」

「你想他——」

瓊笑，「泰，對於你的問題，第一個答案是不，我未見過他私人部位；第二，他不會做你廣告模特兒；第三，我不想加入你的設計組，我不擅開會討論下一件作品，話都說明白了，你可以簽支票答謝我的努力。」

泰福無奈，「你們兩人隨便哪位回心轉意，請與我聯絡。」

瓊溫和地說：「泰，你本身也是個美男子。」

泰高興起來，「是嗎，可愛的瓊，你真那樣想？」

「沒人穿白襯衫斜紋褲比你好看。」

他滿意拎着畫離去。

大洋回到家匆匆淋浴，把身上顏料洗去，一直還有瓊雙手在他臂上揉撫感覺，他垂下頭，電話響起，他披上浴巾取聽。

「大洋，我是華生，長話短說，朱佳他們說你已經找到林瓊，他們說她秀麗如昔，我替你高興。」

大洋說：「多謝你關心。」

「你仍愛她，她還愛你？」

「她記憶中沒有我。」

「大洋，當初你認識林上校，她也不知你是誰。」

「她同從前不一樣。」

「怎麼不同？」

「華生太太，她對男女關係……有點不羈。」

誰知華生一聽便生氣斥責，「You dork！食古不化，兩年來朝思暮想，衣帶漸寬，伊人終於出現在你跟前，卻嫌三嫌四，當心折福。」

「她對我，不比瓊那樣溫柔。」

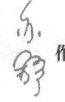

「大洋，林上校一見你便傾心，這位林小姐卻沒有即刻用情，你要耐心討好她，唏，我是調查局副局長，不是愛情指導！」

大洋笑，「我明白。」

「你十分糊塗，大洋，你能重見林瓊，並非偶然，皆因玉子國成人之美，據說林上校希望有關方面該次把她塑造得自我活潑，並且適合在金國生活。」

大洋心酸。

「大洋，下次約會，鼓起勇氣。」

「知道。」

那邊呆半晌不出聲，電話卡朗一聲掛斷。

是瓊要求改變她的性格。

她認為她不夠活潑。

正如大洋把鬍髭剃掉，以為她會喜歡，誰知她反對。

有人敲門。

大洋以為是學生，開門發覺是仇師母，「大洋，過來欣賞我們兩人的畫像。」

瓊那張畫像掛在仇宅書房內，整間房間都亮起來，教授邀請十來個朋友一起喝下午茶享用點心。

有一盒小小綠豆糕，味道清甜，大洋不捨得放下，一口氣吃下半盒。

有人遞一杯濃冽普洱茶給他消滯，他一抬頭，看到張陌生的小圓臉，「我是仇綺彤，教授的侄女。」

大洋是年輕男子，當然即時知道仇小姐對他好感。

誰知她十分坦率，「我今日特地來結識你。」

大洋不出聲，禮貌地點頭。

她自袋裏取出一件玉佩，給大洋看，玉佩是羊脂白玉，大洋雖不懂首飾雕工，但凡是最美的無論什麼物件，門外漢也看得出來，只見是回紋雙魚圖案，圓潤可愛，大洋心中已經明白她要他做什麼。

「我還帶了絲絲，請你看，什麼顏色和襯，請你幫我打一個十洞結。」

大洋選了蛋青色絲繩，穿過魚目小孔，熟練地打一個結。

仇小姐撩起頭髮，示意大洋替她繫上，但大洋輕輕放下玉佩，繼續吃綠豆糕。

那位仇小姐當然感到沒趣，但大方地笑笑走開。

這一切，師母都看在眼內。

她走近大洋，輕輕調侃：「悠悠我心，豈無他人，為君之故，沉吟至今。」

大洋不說話。

「這綠豆糕本來還有一盒，上次給林瓊一口氣吃光。」

大洋不語。

「本來今日我們邀請瓊，她卻沒有空，今晚她往倫敦為一位客戶寫真，我問：是伊利沙伯二世嗎，她笑答：陛下她可不能輕易運用私人飛機。」

大洋微笑。

「瓊一直很用功很忙，瓊說，一個文藝工作者若要找到生活，必須非常幸運非常有天份，以及非常勤工，她一向有紀律。」

瓊本來就是紀律人員。

「不過，誰同那樣一個出名及富有的藝術家在一起，都得遷就。」

大洋不出聲，他低頭沉思。

起座間那邊爆發出一陣笑聲。

師母笑說：「女客們在說，大洋你渾身濃密汗毛，像一隻可愛毛毛玩具熊，唉，如今女生口吻好不大膽。」

大洋連忙把襯衫袖子拉下遮住手臂。

他臉紅紅告辭回家。

好幾天看不到林瓊，大洋他坐立不安。

他有點惶惶然，像是心肝脾肺之中有一個重要器官被人摘走，不知幾時歸還。

一閉上眼，他就看見瓊調皮地笑嘻嘻揶揄他。

榮大洋當然知道發生了什麼：他已再一次愛上林瓊。

他到畫廊詢問：「林小姐什麼時候回來？」

「預定下星期三，她該天下午約好李夫人。」

大洋想一想，「你有林小姐在倫敦的地址否。」

「她住在近郊一個農莊，這是電話地址。」

當然，如果是豪華大酒店，那就不是瓊了。

大洋在畫廊門口碰到她那個廚師男友，那青山也來打探消息。

大洋苦笑，無論以何種性格或身份出現，瓊身邊都不乏異性。

他毫不猶疑出發到倫敦，租一輛吉普車找上門。

所謂倫敦附近，其實是北甘巴倫國家湖區公園，搭火車都得三小時。

那天陰雨，小路滿地泥濘，連吉普車也駛不動，大洋只得步行，很吃了點苦，一群獵犬追上來包圍他不動，要管工解圍。

他說明找畫家林小姐。

管工答：「林小姐今晨一直在艾斯來湖畔觀景。」

大洋照方向走向湖畔，水仙已謝，山坡上滿是朱紅色罌粟。

煙雨迷濛下他看到伊人在湖邊採摘那冶艷花朵。

他呼喊她，她轉過頭，像是不置信會在如此良辰美景下看到他。

大洋緩緩走近。

瓊一臉露水，看上去似小仙女，大洋實在忍不住，緊緊擁抱她，把臉壓在她額角，直至疼痛。

他低聲抱怨，「你走遠也不告訴我。」

她微微笑，「我又是誰呢，我以為你不在乎。」

雨靜靜下得更大，他脫下外套遮住她。

瓊發覺大洋膝蓋之下都是泥漿，她輕輕替他剝下濺到臉上泥斑。

這時瓊忽然感動，雙手摩挲他寬厚肩膀，胸貼緊他不願放鬆。

他們緩緩走回小旅舍。

瓊有時停下腳步，凝視大洋的臉，輕輕說：「一定是湖區風光，不是你。」

大洋不與她爭辯。

他自袋裏取出那盒吃了一半的綠豆糕，那些精緻糕點已被壓得扁爛，他取一塊放到瓊的嘴邊。

瓊一邊笑一邊吃下，幾乎嗆着，有點哽咽。

她看看他，「大洋你沒有一個樣子不好看，尤其生氣無奈之際最可愛」。

大洋不禁微笑，「一定是因為這煙雨中湖泊引起遐思。」

她伸手撫摸他的鬚根，「生物學家說，皮膚是人類最重要的性器官，從愛撫中我們得到溫柔、舒暢、幸福與安全感覺，自嬰兒時期起我們就接受愛撫。」

大洋看着她微笑。

「大洋。」瓊知道他在想什麼，「我已成年，父母辭世，我又未婚，想什麼做什麼，不觸犯法律就行，我喜歡漂亮的男人。」

大洋輕輕說：「這兩年你感情生活一定很舒泰。」

「嘿！」

他們終於回到農舍。

女主人高興說：「林小姐你男朋友到了，可需要租多一間房？」

瓊連忙說好。

「陰雨，來，喝一小杯麥蒂拉砵酒。」

瓊要梳洗，大洋叫住她，「我要給你看一樣東西。」

瓊輕聲問：「你的裸體？」

大洋忽然調笑，「我就知道你只要我的肉體。」

瓊攤開手，「人類不能永生，我們還有什麼？」

他自背囊取出一隻半生銹鐵皮糖果盒，盒面是一個穿紅衣褲的小男孩在吹肥皂泡，這隻盒子起碼廿多年歷史，想是他幼時禮物。

瓊出奇問：「這是什麼？」

大洋小心打開盒蓋。

「啊，」瓊輕呼一聲，「你何處得來？」

盒內是一隻玳瑁鑲銀邊的髮梳。

瓊取起它，「這梳子我平常怕丟失不捨得用，怎麼在你處？」她看仔細了，「不，這不是我那隻，我的梳頂裝飾花紋向左，這隻卻向右，我竟不知梳有一對。」

大洋心酸，她還是記不起。

「你從何處得來？這管髮簪看似東方設計，實則是西班牙十七世紀古董，是我家傳之物。」

瓊又看到蓋內有一綹頭髮，她忍不住取起看，只見那綹頭髮足有兩呎長，編成一條條小小辮子，結着黑色絲絲。

瓊笑，「十八世紀的浪漫……」她忽然停止。

這也許是他亡妻遺物，她不該取笑。

這時大洋低聲說：「這些都屬於你。」

瓊訝異得說不出話，「大洋，若果我送過這兩件如此私人的絕品給你，我會記得，你是那般英偉的男子，如果我與你有不尋常關係，我更不會忘卻，事實上我從未蓄過那樣長髮，你可以去實驗室核對因子。」

這時榮大洋知道，瓊大抵永遠不復記憶往事。

「大洋，我非常喜歡你，你毋須說那種故事，我也一樣接受你追求，事實我自仇教授處看到你在天井工作，我已經被你吸引，你像個穴居人，我滿以為你看到喜歡的女人，會一棒敲暈拖着她頭髮進石洞……誰知你剃了鬍髭會這樣囉嗦？」

瓊輕輕把身體趨近索吻。

剛剛這時外邊有人叫：「林小姐電話。」

瓊去聽電話，「是，我二十分鐘內到。」

她立刻梳洗更衣。

出門時對大洋說：「我就在附近那間叫匯居的大屋工作，歡迎參觀。」

她用絲巾包着頭出門。

瓊帶着早上採摘的罌粟到大屋。

一進工作室就把花撒在地上，照着花瓣調配同樣哀艷的顏色。

然後她把那張接近一半完成的真人大油畫平放地上，用布遮住人像頭臉，把油彩潑向右下角。

這時大洋剛剛由傭人帶着走進工作間，見到瓊的動作如此大刀闊斧，才華縱橫大膽洋溢，不禁心折。

正像上次他見到林上校出手把輕佻的梅柏手中西洋劍絞脫飛出一般，欣佩得五體投地。

這時瓊把畫像扶起。

只見添了朱紅的畫中七分側面，背向觀眾的貴婦像多了一分寂寥及滄桑。

偏偏這時，畫裏主人翁緩步自走廊走近。

「啊。」她嘆氣，「林小姐，你竟把我畫得如此動人。」

瓊微笑轉過身，「匯寶太太，我禿筆未能表達一半你的丰姿。」

那匯寶夫人過去細細觀賞那一角朱紅，不禁哽咽。

半晌她低聲說：「我本是一個演員，他們說我頗有前程，若不是過早嫁人……」

她忽然看到站在一角的年輕男子。

瓊說：「他是我的朋友榮大洋。」

匯太太何等明敏，「林小姐可是要提早回家？」

瓊說：「我會把畫帶回完工。」

「幾時走？」

「明天一早可方便？」

「車子與飛機都聽你使喚。」

「謝謝。」

夫人稱讚：「一些媽媽真能幹，孕育你們這樣漂亮聰敏的年輕人。」

瓊笑着不語，用畫布輕輕遮住畫像。

「你們是美麗的一對，但為什麼他臉上還有許多憂鬱？」

瓊輕輕答：「他過去有傷心事，陷在井底走不出來。」

夫人訝異，「你會拉他上岸？」

「不，」瓊回答：「那絕對是吃力不討好的事，他得自願努力自井底爬出，如不，一輩子坐在那裏也可以樂在其中。」

夫人驚嘆，「嘩，林小姐這樣聰明。」

瓊微笑，「因為我已廿八歲。」

「但是，像他那樣的男子，我們女人總會母性地想逗他開心一點或是什麼的，那是陷阱。」

瓊想：不是我，我不會老壽星找砒霜吃。

她介紹夫人與男友認識。

夫人說：「隨時請來做客。」

他們沿着小路回農舍。

大洋問：「你喜歡鄉鎮？」

「偶然與愛人度假夠情調，長年居住，一定沮喪，我是紅塵癡人，淨愛吃喝玩樂以及人群喧嚷。」

她緊緊摟住大洋手臂。

路上有一條小溪，水流頗急，沒有橋，只得一株枯樹橫過，大洋說：「我揹你過去，你可不要動，乖一點。」

瓊伏在他背上，他走到一半，她在他耳邊呵氣。

他迅速跳到另一邊，要放下她。

瓊說：「我不下來。」

「我要小解。」

「我在你背上又看不見，你請便。」

大洋氣結，走到樹後，他詛咒：「我遲早會好好把你打一頓。」瓊搭在他背上已經笑得喘氣。

瓊是那樣會快活搗蛋，時時叫他也感染她的樂觀開朗。

他愛死她。

瓊掛在他背上回到農舍，主人家見怪不怪，「今晚吃烤牛肉。」

大洋禮貌說：「我們會準時入席。」

他若無其事揹着她走進寢室。

瓊問他：「你快樂嗎？」

他點點頭，伸手去剝瓊臉上濺到的朱紅色顏料，乾了，他用手指在舌上濕一下，替她抹掉。

瓊半閉雙目，十分陶醉。

她這種天真的色迷迷的樣子真叫大洋心動。

他輕輕說：「不要趕着回去。」

「你要教學。」

「我已找了代課老師。」

「我可不行，有著名壯男在畫廊等候。」

「你的模特兒?」

「正是。」

「瓊，你可否改畫靜物或是風景。」

瓊笑得抬不起頭，「這是我永遠不會結婚的原因之一。」

大洋看着她。

瓊嘆口氣，「除出不聽話，我也不耐煩煮飯洗衣跑超市，到銀行交房屋貸款，傍晚等丈夫回家吃飯，或是憧憬夏季帶小孩到歐陸度假……」

大洋仍然不出聲。

瓊忽然心軟，她輕輕問：「Wanna make—out?」

大洋沒好氣，「我想看書。」

他什麼都好，就是要人哄，瓊說：「我讀你聽，我有一本查泰萊夫人的情人。」

大洋握着她的手，「瓊，你為何如此好色?」

瓊一本正經，「勞倫斯在該書中對一次大戰於英人悲劇影響、十九世紀初英國階級觀念，以及中部農莊風貌有極之細緻以及動人描述……」

瓊正滔滔不絕，大洋把她拉近，吻她的嘴，不讓她再說下去。

瓊輕輕「嗚」一聲。

她以為大洋會挪進一步，可是沒有，瓊有點失落。

第二天一早，他們乘匯氏私人飛機回轉。

瓊忽然疲累，抱着大洋腰身沉睡。

大洋目不轉睛看着她秀麗面孔，她左耳垂不知什麼時候起了顆雀斑，他心一動，腿側的紋身記認仍在否？他錯過昨夜良機。

華生太太知道了要敲他的腦袋。

大洋在高空想到年輕的亡妻，長輩在他最傷心欲絕之際勸他：「大洋，也許，拖到今日，你們也已離婚。」

這可能是實話，但他們沒有時間齟齬、不滿、厭憎對方，在她辭世時他們不幸仍然深深相愛。

在夢中，他推開房門，她轉頭微笑看他，她正在卸妝、梳頭有點羞怯，「大洋」，她輕喚他。

大洋醒來往往一腮眼淚。

身邊這頑劣不羈女是他唯一所有，他一定要珍惜，因為他想活下去。

瓊回到畫室後異常忙碌。

李夫人要求她一星期內完成畫像，因為「家中將有宴會，希望賓客可以欣賞」，像是訂製一件應節晚禮服般，瓊只是微笑。

她把匯夫人那張畫像給她過目。

李夫人瞠目，她忽然脫口嚷出來：「我也要！」

瓊與助手都高興。

瓊想：多些儲蓄也是好事，生活不愁之際一個人才有尊嚴：「這件事你另請高明吧」，「那個我很抱歉我不會做」……

廿八歲了，承擔她的只有她自己，瓊忽然寂寥。

被榮大洋揹着的感覺真溫暖，她喜歡他矜持內斂，換句話說，他不是急色鬼。

李太太要瓊替她挑晚服，瓊選一件肉色釘亮片裙子，她端一張椅子，請客人坐下。

瓊輕輕說：「李太太，我作畫時不接受任何意見。」

「明白，我完全信任你。」

「那麼，李太太，請你開始在心中想一生中最不開心的事。」

李太太一怔，忽有頓悟，異常沉默。

一小時後客人看過草稿非常滿意，放下支票離去。

瓊有點累，她躺在工作室舊沙發上盹着。

大洋來看她，推門進去，看到她似嬰兒般蜷縮一角，只見到一角烏黑頭髮露在舊毯子外，她愛憐凝視她。

「下午還有工作嗎？」

「榮先生，她一點空閒也無，客人推都推不掉。」

「我稍後再來。」

大洋走不久，又另外有客人報到。

店堂有女賓，一見這個男子情不自禁朝他呆視。

他低聲說：「泰替我約了林小姐，我是大衛。」

助手連忙招呼他與經理人上樓。

瓊已經醒來，她穿着白色工人褲與一雙繡花拖鞋，手中捧着杯飲料。

經理人介紹：「林小姐，這是大衛。」

她請他坐。

那面貌俊秀身段宏偉的模特兒沒想到畫家那麼年輕稚氣，她似剛睡醒，有點惺忪，已經用水敷過臉，但臉上還是看到被褥痕，腳上拖鞋已經踢破洞，紫色絲繡蝙蝠只剩一半。

他坐下，自己找飲料，看到長几上有一罐紅牛與一瓶伏特加，不禁微笑，畫家需要靠咖啡因加酒精提神，他選了黑咖啡。

只見經理人不住與畫家說話，要這要那，如此這般，女郎一言不發，也沒有不耐煩。

終於經理人說：「大衛，請脫衣。」

模特兒忽覺躊躇，他在鏡頭前脫過千百次，他專業地穿內褲在觀眾前行天橋，時裝公司把他裸體照片製成月曆派發，時裝雜誌選他為「全球女性最嚮往之情人」，但此刻，在一間畫室，他卻靦腆。

他走到屏風後邊。

脫去衣褲，他用毛巾裹着下半身出來。

畫家有雙晶瑩敏銳的眼睛，看到他裸體，輕輕「嗯」一聲。

經理人嘆氣，「泰也覺不忿，但檢查尺度如此，無可奈何，我們已挑戰極限，隨時遭禁，但檢查處對男性胴體十分敏感，一定要剃清體毛如塑膠模特兒一般，正後面均不能全裸，性器官更不可見天日，所以我們才想到以畫像代替照片，設想是

這樣的：先是模特兒大衛的全裸像，然後逐一用電腦添上泰福設計的內衣、襯衫、領帶、西服……」

瓊一聲不響凝視那漂亮的模特兒，她示意他站立，經理人在一邊指示他一手放胸前，另一手放腿側。

瓊用炭筆刷刷刷做速寫。

經理人終於累了，他說：「我到對面吃點東西。」

他一走，大家鬆口氣，畫室恢復寧靜。

瓊走近模特兒端詳他面孔，原來他有碧藍眼珠，上帝在造一些人的時候的確特別用心。

瓊調校一種孔雀藍，又走近對比顏色，她是那樣專注用心，模特兒鬆弛下來。

瓊伸出食指，蘸了那閃光藍色顏料，點在畫像的眼珠上。

再抬頭之際，模特兒已解脫毛巾。

瓊走近觀察他，回到畫前，素描他下身，她用手掌在畫布上嫩怯的粉紅色，然後勾出輪廓。

再回到模特兒身邊，他已圍上毛巾。

他的羞怯叫瓊訝異，但她不發一言。

那經理人回轉，一看到畫像「嘩」地一聲，手中三文治跌落地板，「我立刻傳給泰過目」，他取出電話拍攝。

這時，模特兒也走近看畫，瓊輕輕微笑走開。

經理人說：「是，是，完全妖媚，原先我對大衛說：也許不該露這露那……這裏接收欠佳，我到樓下去講……」

瓊把畫筆小心洗淨，平放在毛巾上晾乾。

大衛走近長桌，站在一大盆薑蘭前深深嗅一下，忽然低聲說話，像是自言自語：「我一直在找一個這樣寧靜工作室：簡單樸素實用，完全不受騷擾，靜靜專注工作，茶香花香，吃一客牛腰餡餅，在舊沙發睡午覺，醒來喝香檳吃奶油草莓。」

瓊不出聲。

真沒想到，一個那樣漂亮那般出名的男人只有那一點點願望。

他悄悄轉頭看瓊：如此有才華的藝術家還這樣純真可愛，鬆鬆圍裙下可以看到她那形狀如碗蓋似天然胸脯影子，他有點神往。

他提出要求：「瓊，可以一起吃飯嗎？」

瓊想一想，「我已經有男朋友了。」

「吃飯而已。」

瓊忽然咧嘴調皮地笑，露出雪白牙齒。

大衛也不自覺笑起來，片刻他說：「我去換衣服。」

他解下毛巾走到屏風之後。

瓊咳嗽一聲清清喉嚨，忽然看到榮大洋站在畫前。

她叫他：「大洋，你來了。」

大洋一聲不出離去。

「大洋。」瓊追上。

在樓下店堂碰到大衛的經理人，他同瓊說：「泰叫我把畫帶走，喂。」

瓊追出門，「大洋。」她第三次叫停他。

可是大洋已上車，駛到她面前刹住，「上車。」

瓊驚異。

「上車！」

瓊只得拉開車門坐到他身邊，大洋呼一聲把車駛走，到公園停下。

他一直默不作聲，到這時才生氣地瞪着瓊。

瓊一直覺得大洋氣鼓鼓時最好玩，她伸手想去擠他臉頰，「你怎麼了？」

他格開她的手，「那脫光的男人是誰？」

瓊恍然大悟，「你不高興？模特兒一貫不穿衣服。請勿歧視裸體，自米開蘭基羅畫西斯庭教堂壁畫起，就有人非議畫家把基督畫成裸體，喂！那是最後審判圖，可是還有人計較末日來臨的天使該端正服裝。」

大洋越聽越氣，「你可需要畫得如此纖毫畢露，那人的生殖器經過割禮都可以

看得一清二楚！」

這時瓊也生氣，別人的聰敏都成了精，唯獨這榮大洋卻仍然蠢鈍如牛，她按捺着性子解釋：「性器官有何不妥，這是人體最重要器官同心肺脾臟一般，否則人類早已滅絕，為何動輒判它有罪？善惡只是人類思想，器官無辜。」

「你不必科學辯證，我不會允許你再畫裸男。」

「我不允許任何人干涉我的工作我的意願。」

瓊推開車門下車。

「瓊！」他企圖拉住她。

瓊並非基於記憶，而因交替反應，本能施出小念頭招數掙脱。

她轉身豎起中指給他看。

瓊氣得臉色煞白，奔出公園叫車回家。

到達門口瓊頹然，榮大洋一點也不瞭解她，可是她卻已漸漸愛上這頭牛，世事多麼蹊蹺。

她喃喃說：「沒有可能。」

「瓊。」忽然有人叫她。

她嚇一跳，退後一步，「青山，是你。」

那廚師輕輕走近，「瓊，我來說再見，明晨我將赴法國尼斯學藝，為期一年，如果適應，也許暫時不回來了。」

「啊。」

青山聲音忽然哽咽，「瓊，我知你已愛上另外一個人，你不會回頭。」

「青山我——」

「過去一年，我很慶幸可以為你做早餐及宵夜，看着你名利雙收，」他遞上一件衣物，「這是我在你家常用的圍腰，我帶來送你作為紀念，請你收下。」

瓊淚盈於睫，伸手接過，「謝謝。」

「你作畫時可以用它，或者，會想起我。」

瓊垂頭。

「再見，美麗的瓊。」

他一點麻煩也不給她，悄悄離去。

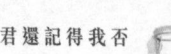

照說，廚師手頭上起碼十把八把鋒利無比尖刀，是個危險人物，可是他也瞭解林瓊，他不會引起她任何不快。

只有縈大洋生活在他個人小世界裏。

一個星期後瓊還下不了怨氣。

她把所有時間用在工作上，累了，在工作室小睡。

一日，聽見助手與朋友說電話：「那叫大衛的模特兒有雙電殛般深藍寶石眼珠，我見到他幾乎連呼吸都失卻控制，十分失態，唉，美色這件事……可是，林小姐只把他當作一籃子蘋果或是一幅風景，了不起……」

連年輕助手都明白她，偏偏大洋就不。

助手說下去：「大衛那麼俊朗，還不及林小姐的男友縈先生——」

瓊一愣，什麼？

「大衛粗獷，像一隻不懷好意的狼，色相外露，但榮先生漂亮得充滿儒雅的書卷氣，那種憂鬱感尤其動人，不過他也有缺失：醋意太濃……」

瓊呆住。

她一向以為大洋固執、保守，從未想到他純粹是妒忌，旁觀者清，一言驚醒夢中人。

看樣子她也不瞭解他。

瓊揚起一條眉毛。

「林小姐是否美人？唉，她那樣才華，又高收入，異性當然傾心，她最大優點是待人赤誠，多麼難得，還有，她的作品，觀者直情想走進她畫裏，與畫中人作伴，永遠不再回到現實世界。」

瓊微笑，她決定加助手薪水。

「是，最好要有名氣，男人多虛榮，還有，要有才華及私蓄，那意思是，只對他有利，同時，愛得他死脱。」

瓊悄悄自後門溜走，打算第二早才繼續工作。

那一邊，榮大洋情緒更差。

他沒精打采坐在仇教授家，垂着頭，像個賭氣孩子，任憑師母怎麼安慰，都不露笑容。

師母說：「大洋，你已三十多歲，不好如此賭氣，你到底與林瓊有何彆扭，師母為你開解。」

他索性把臉轉向牆壁。

師母不禁好笑，六呎昂藏，文武雙全的男子，為着感情煩惱，忽然如此愛嬌。

「大洋。」師母把手按在他寬厚肩膀上。

師母發覺他流淚，不禁惻然。

「我介紹別的女孩子給你，你記得——」

「我心中沒有別人。」

「我讓她來替你收拾家居，陪你說話。」

「我怎好浪費別人時間精神。」

「那麼，你付她酬勞。」

這時仇教授走近，「大洋情有獨鍾，非卿不娶。」

師母訝異：「還有這種人嗎？」

師父微笑，「我不就是，這些年來，你一直不知？」

大洋吃完晚餐就回到自己宿舍，打開小小糖盒，凝視那束辮子，他把它掛在脖子上，打一個結。

在畫室，瓊不停不休，把手上畫作全部完工，逐幅寄出，包括匯夫人及李夫人那些巨像。

她鬆口氣，渾身像虛脫般痠軟。

助手說：「何先生那邊說，請你盡快答覆。」

「我今年已不接受預約，把先前客戶逐一打發，已不容易，要做到十八個月以後，接着，我想休息。」

「我去告訴他們。」

瓊躺在老沙發上悠然入夢。

這個夢極之奇怪，她看到一個活潑幼小女孩朝她奔近，「媽媽」，她叫她。

瓊笑問：「你是誰？你媽媽呢？」

她把小孩抱懷裏，忽然之間，大地震動，整個天地搖晃，天花板塌下壓在她背上，瓊聽到人們尖叫大喊，她抱着小孩滾跌地上，磚泥不住落下，百忙中她把幼兒推到桌子底下，手臂擋在臉前，可是，她漸漸窒息，地震，她無限驚怖地想：這是地震！

這時，她覺得嘴角濡濕，像有人把水滴在她嘴角，她嘴乾，伸出舌尖，把那滴液體吸進嘴裏，嗯，是既澀又甜的苦艾酒。

瓊睜開雙眼，看到一對深藍眼珠，大衛，他怎麼來了。

只見他笑瞇瞇用調羹餵她喝酒，見她醒轉，擠到她身邊，抱緊她，「別動，請讓我溫存一下，我思念你。」

瓊不出聲。

大衛渾身熾熱，緊貼着瓊不放。

「大衛，我——」

「我知道，你已有男朋友，這是一個什麼樣的男人，他為什麼放你一個人獨睡？」

「你怎麼會有空。」

「我在紐市拍攝，有半日空閒，趕來看你，瓊，允我走進你這清淡天和的世界。」

瓊微微笑，用手指撫摸他鬢根，「自三歲迄今，沒有女性會拒絕你吧？」

「從不。」

「對不起。」

「我會守一。」

瓊笑不可抑，「大衛，讓我起來。」

「不，不許。」

瓊無奈，「我心裏愛着另外一個人。」

他嘆息：「他愛你否，看樣子沒有你愛他多。」

這時助手敲門，「林小姐，汶國代表在樓下等你。」

大衛提高聲音：「林小姐沒有時間，今日不見客。」

助手咭咭笑着下去。

瓊想，這些男人，又不是真有意思或能力照顧女子生活，可是一個個都愛管頭管腳，藝術加工，越幫越忙。

「多謝你來探訪。」

她輕輕推開他，整理衣服，走到樓下商洽。

汶國代表是女性，穿民族服裝，包着頭巾。

她這樣說：「王妃們聽說你是女畫家，非常喜悅，她們不習慣對牢男性，所以想邀請閣下到敝國工作。」

瓊輕輕說：「我通常不會出國工作。」

代表微笑，「林小姐好似剛自倫敦回來。」

瓊也笑，「妃子們願意到倫敦嗎？」

代表輕輕答：「殿下不放心。」

瓊又笑，這也是多妻的煩惱。

「請問林小姐，一幅畫像要多久才完成。」

「一個星期，不過我要做後期工作，約個多月。」

「我回去商議，王妃們很想要一幅林小姐手繪的畫像。」

「我的榮幸。」

她送代表出門。

回轉時助手愉快地說：「大衛走了，他說你打碎了他的心。」

瓊笑得蹲下，「他哪裏有心，我從不約會man candy。」

「可是榮先生更加好看。」

「你覺得嗎？」

「林小姐，你以為我有多笨？」

正在談笑，有人按鈴要求進入畫室。

助手一看，是個陌生大塊頭男子，立刻警惕，「這是誰？」

瓊一看，「咦，」她走近，「朱佳。」

她打開門，接着，可兒也閃進。

瓊知道他們有事：「兩位請到裏邊説話。」

可兒把她拉到一邊：「瓊，需要你一臂之力。」

「什麼事？」

朱佳取起手提電腦開啟讓瓊看新聞。

瓊一看呆住。

只見大學某組建築物被數十輛警車緊緊圍住，新聞報告員惶恐地告訴觀眾：

「據悉，今晨八時四十五分，兩名全身黑衣持槍男子進入明縣大學梅柏濤研究院，

囚禁二十名女生，要求每人付贖金十萬美元……」

這時連助手都開啟電視機看到新聞，驚駭莫名，「已經三個多小時！」

朱佳說：「我們火速趕來協助調查。」

瓊當然為人質擔憂，但是她不明與她有何貼身關係。

可兒在她耳邊說：「瓊，大洋在裏邊。」

瓊耳膜嗡地一聲響，「什麼？」

「他的課室在梅廈內，你不知道？」

瓊的雙膝發軟，坐倒地上。

只見記者身在直升機內，繼續報道：「該兩個男子命所有女生脫去外衣，蹲在地上，課室內有她們的講師榮氏，為着抵抗，已遭毆打流血，這一切消息，均由警方小型攝影機映像提供，為免市民驚恐，不允播放。」

瓊渾身冒汗，她問：「我只會畫畫，我能做什麼？」

朱佳看着她：「林上校，你不是開玩笑吧。」

「我？」

可兒說：「速跟我們到現場瞭解情況。」

「我——」

朱佳與可兒一左一右挾持瓊出街上車。

車子抵達現場，環境比新聞片段更亂更慌。

一大堆聞訊趕到的家長圍在校舍外邊又哭又罵，吵成一片，有婦女踢打守衛與警察，尖叫聲擾攘一如末日。

一片草地上丟滿女生衣物、電話、電腦，以及書本，像災場一般。

瓊忽然憤怒。

二十個學生，勒索區區兩百萬，何必如此誇張，她忽然明白，匪徒就是要他們慌張憤怒。

瓊緩緩鎮定。

那一邊奇志迎出與瓊擁抱，馮怡握住她手，「瓊，來說一說情況。」

他們在一間課室搭起臨時指揮室。

瓊輕輕說：「圖則。」

「是。」

朱佳立刻把地形及建築圖則打出。

瓊立刻指出：「梅廈前邊是草地，後邊是公路，逃逸時非常方便。」

「我們也這麼想。」

瓊在這時像是變了一個人，她瞇起雙眼，像一隻獵豹，盯緊獵物。

她問：「現鈔到埗否？」

「已在點算。」

瓊說：「這裏有一排太陽能天窗。」

「是，已有射手瞄準。」

她說：「大洋在裏邊，完全是個巧合。」

「正確。」

「請把窺鏡瞄準疑犯武器，讓馮怡核對資料庫，查看是什麼型號，哪個國家生產及採用。」

馮怡即時着手調查。

明縣警長動氣，「你們好似對人質安危不感興趣！」

朱佳把他拉到一旁解釋。

奇志看着林上校，他以為她第一件事便是關注榮大洋，但是瓊留意的卻是整個情況，奇志不禁佩服。

馮怡很快得到答案：「瓊，該支新型軍隊自動步槍由俄國製造，價值不菲，想不到這麼快流入民間。」

瓊取過圖片一看，「嗯。」

這時，課室內女生忽然尖叫哭泣，惶恐會得傳染，一發不可收拾，槍手對空開了一槍，直透天花板。

那些女生受驚蹲下，像無助小動物般伏成一堆。

榮大洋忽然站起，他被槍手指嚇。

朱佳說：「大洋也發現槍枝非比尋常。」

瓊說：「不止。」

奇志問：「為什麼？」

「這支槍在俄語叫鑽頭，彈頭可射穿三吋鋼板，所有避彈衣無效，用來勒索兩百萬，那是殺雞用了牛刀。」

大洋忽然擲出一支鋼筆。

槍手破口大罵，叫他站到另一角落。

馮怡把大洋臉部鏡頭放大。

瓊忽然微笑，大洋氣得抿緊嘴角，額頭受傷流血，可是雙目炯炯有神，這笨男子真動她心弦。

瓊已明白大洋想說什麼。

她同馮怡說：「即刻查看本市今日中午有什麼活動：譬如球賽、展覽、銀行解款、重要貨物如軍器運送……快！」

奇志霍一聲站起，「聲東擊西。」

朱佳說：「哎呀，脅持人質是為着削減警力。」

警長跌腳，「四分三警車圍住了校舍，市中心若有什麼大事，難以應付。」

「俄裔黑手黨最有興趣的是毒品——」

可兒問：「剛才那槍手罵些什麼，譯出沒有？」

奇志答：「他說，『全世界最多蠢豬的是金國』。」

瓊不禁說：「這是一個相當中肯的評語。」

「瓊！」

馮怡回轉：「展覽館有國際珠寶展，足球場進行世界杯預賽，市內封了兩條路，舉行同性戀遊行……」

瓊搖頭，「不是。」

朱佳問：「可有大批武器運送？」

「沒有槍械，沒有核彈頭。」

「是什麼？」

馮怡回答：「詢問過軍部，是勃朗寧天文望遠鏡一枚新鏡頭，中午十二時經郊區十一路往軍用飛機場轉送，下日由試練號穿梭機升空安裝。」

奇志緩緩站起。

瓊問警長：「閣下都聽到了，應當知道怎麼做，你有二十分鐘趕到十一路保護運送車防止攔截。」

警長滿面通紅，「這裏怎麼辦？」

朱佳忽然露出笑容，「交給我們。」

瓊問可兒：「給我一把性能最佳手槍。」

可兒取過配備的手槍給她。

瓊搖頭，「官方武器如此落後，簡直送死。」

瓊不知她早已說過同樣的話，可兒聽後只得苦笑。

「送鈔票進去。」

瓊接着給予簡單指示：家長及旁觀者退後，她與朱佳對付課室內兩名槍手，與伏在外邊的神射手匯合動作，她輕聲說：「生死由天，行動！」

可兒忽然淚盈於睫。

警員把鈔票袋丟進課室，瓊與朱佳一言不發撲進開槍，林上校動作比起常人只敏捷四分之一秒，但就靠該剎那，她已發射兩次，她先射中課室後邊的槍手，榮大洋在電光石火間搶到落地槍枝，佔了上風，這時朱佳也擊倒彎腰拾鈔票的疑兇。

他們三人似通靈犀，配合得天衣無縫，突襲成功。

十餘個警察即時湧進課室，把大哭大叫的半裸女生帶出現場。

瓊走到槍手前邊，他的右手掌已被射脫，瓊把槍指在他左手手心。

疑犯滿頭大汗。

朱佳問：「你們為誰工作，要一枚天文望遠鏡頭何用。」

那槍手十分猙獰，他忍痛喘氣答：「因為我們沒有。」

只因為人有他無，就那麼簡單。

這時奇志大聲說：「解運車在嚴密保護下已安全抵達基地，疑匪全部擒獲。」

疑犯面如死灰。

可兒恨恨地說：「你倆為何失敗？你們不該侮辱女生！」

奇志斥責：「你倆把贖款當外快，不夠嚴肅。」

這時瓊走到大洋面前，兩人都鬆弛下來，渾身汗濕，瓊兩手都握着槍，凝視大洋。

大洋走近，抹一抹額角血汗，聲音哽咽，「瓊，你都想起來了？」

瓊這時忽然驚覺手裏握槍，感受恐怖，把槍丟在地上，再也忍不住，流下眼淚。

「瓊。」

大洋緊緊擁抱她。

馮怡在一旁看着，心酸鼻酸，啊，這即是拜倫寫的：

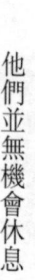

If I should meet thee
After long years,
How should I greet thee?
-With silence and tears.

可兒也淚盈於睫。

這班幹探忽然全部流淚。

朱佳也惻然，「瓊似恢復記憶。」

奇志不樂觀，「我想不，有一個慈母，看到幼兒壓在車底，發力隻手抬起整架車子救出愛兒，瓊突發神功，類似上述情況。」

可兒抱怨：「奇志你真該死。」

大洋還不願鬆開瓊。

奇志提高聲音：「大洋，對街有汽車旅店，請租一間房間。」

他們並無機會休息。

首先，馮怡與警方組織新聞發佈會，接着，他們各自要寫報告交給上頭。

梅柏趕到，在警局一眼就看到林上校，他一直沒有忘記伊人，當中那兩年像是沒有過去，他身不由己走近她：「瓊，你剪短了頭髮。」

瓊至今已習慣她不認識的人對她親暱無比，她禮貌微笑回應，這略帶倨傲的漂亮男子是誰？

榮大洋立即去站在他們當中。

瓊對可兒說：「我需回家梳洗。」

大洋卻還不能走，請可兒護送瓊。

可兒稱讚瓊：「上校你槍法如神。」

瓊輕聲問：「上校是你們背後給我的綽號？多麼有趣。」

「瓊，」可兒惻然，「你不覺得你奇怪？」

瓊微笑，「我從事藝術，藝術家都是怪僻的人。」

「剛才，你救了大洋。」

「你們救他出來，我幫你們打氣。」

可兒不想再說下去。

「可兒，有一件事——」

「什麼？」可兒重新燃起希望。

「我原不該說，但是不坦誠又對不起自己，可兒，或許，你不該常常在辦公時穿領口那麼低的衣裳。」

可兒啼笑皆非。

「可兒？」

「好，好，我答應你。」

回到家裏，本想梳洗，瓊忽覺筋疲力盡，臉朝下倒在床上，昏睡過去。

在警局，梅柏對大洋說：「你倆終於在一起。」

大洋不出聲。

梅柏說下去：「華生太太叫我帶一句話：『叫榮大洋歸隊』。」

大洋一怔，緩緩搖頭。

「大洋，你天生是個幹探。」

大洋不出聲。

「大洋，你不是真的喜歡教書吧？」

大洋緩緩答：「我適應大學生活，我今日唯一遺憾，不過是瓊未應允嫁我。」

「我不相信，她一直愛你。」

大洋不想多講。

「我怎樣回覆造物主？你不願回來？」

大洋點點頭，「再見珍重。」

他遞上報告，頭也不回的離開警局。

他去找心愛的瓊。

她卻不在琳廊。

助手說：「榮先生，她在家休息，電視新聞中見你安然脫險，真是高興。」

這時整宗案件來龍去脈經已披露，轟動全城，議論紛紛，警方能力被記者及市民描繪得像天兵天將。

大洋站在瓊家門口按鈴。

半晌，瓊才起床開門，身上仍穿着運動衣褲。

她微笑看着大洋，「你好。」

大洋輕輕說：「你好似救了我。」

「好似？我簡直是你救命恩人。」

瓊嘻嘻笑，恢復本色，眉角一揚，有點挑釁，十分可愛。

榮大洋略覺心酸，她說什麼都記不起往事，但由脊椎神經控制的交替反響如射擊、拳式，卻仍然可以游刃應付。

瓊輕輕靠到他胸前，一邊抱怨，「你看你，像磁力一般把我吸近。」

「瓊，我要給你看一段錄影。」

瓊斟出兩杯古巴摩希多酒。

只見大洋把記錄匙安放進電腦，「瓊，坐到這邊來，近一些。」

大洋情緒有點緊張。

瓊輕輕說：「上一次在電腦上看錄影是日全蝕，十分精彩。」

「瓊，這片段只有三十秒鐘，請留意。」

假使這也不能喚起瓊的回憶，那就只得放棄了。

三十秒鐘，可以很短，也可以頗長。

影像一開始，瓊便怔住，這是什麼？

大洋品格端正，沒想到會有一段這種錄影。

「咦，大洋，男主角是你，」瓊不禁睜大眼張開嘴，「大洋，這是你特製示範影帶？」

大洋啼笑皆非。

沒想到瓊像做旁述一般：「好精彩，大洋，真沒想到你如此英偉，出乎我意料之外，嘩，今日方知，我損失有多大！」

大洋默不出作，臉紅紅等片段播放完畢。

瓊凝視他：「片段上印有清晰日期，約三年前攝製，攝影器置左上角，喂，那女子是什麼人？」

大洋失聲：「你看不出她是誰！」

「那女子十分妖冶：雪白皮膚，美好身段，蛇腰豐胸，你叫她什麼？蜜糖，她又低喃些什麼？『不如射殺我速送我回家』，真精彩。」

大洋氣苦，臉色轉白，取起那杯摩希多，一飲而盡。

「讓我們再多看幾次。」

大洋收回電腦，「不。」

「你愛那女子？」

大洋不知如何回答。

「那麼長的黑髮，好不妖艷，她可是那個離你而去的女子？你可以對我訴衷情，我會保守秘密。」

大洋看着她，「你不妒忌喝醋？」

瓊輕輕答：「過去的事已經過去，現在是我在這裏。」

她說得真好。

「啊，」她想起，「那束長髮，是屬於她吧。」

大洋點點頭。

「你這是向我交代過去？」

大洋不再說話。

「你要記得，她是她，我是我，明白嗎？」

大洋嘆口氣。

瓊輕輕騎到大洋腿上，額角碰在他前額。

她瞇起眼睛，「現在，你可要『射殺我與送我回家』？」

大洋抱緊她，緩緩落淚。

（四）

他們結婚那日，雙方朋友齊聚祝賀。

在教堂裏，他們很自然分開兩邊座位：西服端正的屬男家，藝術家型屬女方。

穿黑色禮服金色球鞋的大衛走進來時全體女生目光刷一聲驚艷地朝他看去。

連華生太太都輕輕說：「嘩。」

朱佳生氣，「女人就是如此膚淺。」

接着，有年輕漂亮女子向朱佳搭訕，可兒微笑，「真薄淺。」

那大衛坐近馮怡，自我介紹。

馮怡以為他喜歡的會是穿皮短褲的男人，倒是意外之喜，朱佳他們只聽到大衛也訝異地說：「你佩槍？我從未約會過佩槍的女子。」

華生太太心中嘆氣，這就是她的愛將了，少卻榮大洋，彷彿潰不成軍，而大洋又說什麼都不肯再回調查組。

牧師主持誓詞的時候，榮大洋終於露出笑容。

仇師母坐前排，她意外，「咦，大洋笑時都不似大洋，原來他有酒渦。」

一年後。

仇師母在榮家幫瓊準備嬰兒購物單子。

瓊輕輕說：「我很害怕，不知如何應付新生命，更不知小小人要有全套沐浴用品，那麼一點點大，會不會忘記放他在何處，又不知糞便會否令我作嘔，如果他生病豈非嚇死人，是男嬰抑或是女嬰，我還有時間作畫否，一千一百個問題，真想退出。」

仇師母不回答，只是說：「還早呢，年底才是產期，我替你找個可靠保母。」

「我已同大洋說過，我不擅洗熨煮。」

「我吃過你做的鮭魚鍋，美味之極。」

「大洋已把所有酒精都收起來。」

師母說：「他做得正確。」

「師母總是幫他。」

「瓊你的功勞也不少，你看他現在鬍髭剃得多乾淨，衣着多時道。」

「我們兩人都改變很多。」

師母說：「那多好，夫婦一同向前進步。」

瓊忽然躊躇，「大洋也有缺點。」

師母笑，「林小姐，太洋不過血肉之軀，當然有瑕疵，我發覺他會哭。」

瓊吞吐，「不止如此。」

師母不方便猜測，微笑喝茶。

瓊終於說：「大洋很會妒忌。」

師母釋然，「哈，他也向我說過，你那些藝術界朋友實在性格豁達，他說你畫室時有裸男出現，試問幾個丈夫可以接受，這連仇老頭都會抗議。」

「還有——」

「瓊，你不是斤斤計較的人，愛他就行了。」

瓊的聲音漸低：「越來越愛，越來越喜歡，想到他就忍不住微笑，所以希望孩子也長得十足像他，最好生十個八個，全體小胖頭，毛毛的臉，粗眉大眼，生起氣來腮鼓鼓，半日不說話……」

師母笑不可抑。

「不過，師母，有一件事，我憋在心中——」

師母說：「啊。」

「大洋以前有一個女友，你是知道的，就是那個不得不與他分手叫他十分傷心的女子，她長得非常妖媚，是一個狐惑，我覺得他永遠不會忘記她。」

師母詫異，「我沒見過她，你知她模樣？」

瓊點頭。

「比你還好看？」

「啊，嫵媚婀娜得多……不能比。」

瓊記得她晶瑩身體像蛇一般。

師母卻篤定：「你放心，孩子出生後他會忙得連自己姓什麼都忘記。」

瓊側頭想一想，似還有心事。

「還有疑問？一併說出來清一清胸腔。」

「最奇怪的是，大洋不時堅持問同一個問題：瓊，你記得嗎，你記得我嗎，他還指我腿側有一紋身，均非事實。」

師母一怔，「那是何故？」

「我不知道，他一直堅持我們從前是密友。」

「他指前世？大洋好不浪漫。」

瓊答：「我也不明白他的意思。」

「今天快活就夠。」

這時電話響起，瓊取起聽，「是，是」，輕輕掛斷。

瓊神色大異，師母擔心，「誰？」

「蘇倫森醫生。」

師母知道那是瓊的婦產科醫生，有點緊張，「說什麼？」

瓊忽然激動痛哭，「他說檢驗報告出來，是孿生男胎。」

師母高興得跳起，「快通知大洋！」

瓊號啕，「這該如何應付好呢？」

（全書完）

亦舒系列 • 亦舒系列 • 亦舒系列

214.她成功了我沒有 (短篇)
215.悄悄的一線光 (長篇)
216.吃南瓜的人 (長篇)
217.花常好月常圓人長久 (長篇)
218.小紫荊 (長篇)
219.同　門 (長篇)
220.我確是假裝 (短篇)
221.這樣的愛拖一天是錯一天 (長篇)
222.噓—— (長篇)
223.她的二三事 (長篇)
224.月是故鄉明 (散文)
225.早上七八點鐘的太陽 (長篇)
226.鄰居太太的情人 (長篇)
227.如果你是安琪 (短篇)
228.紫色平原 (長篇)
229.我情願跳舞 (長篇)
230.只是比較喜歡寫 (散文)
231.電光幻影 (長篇)
232.蓉島之春 (長篇)
233.愛可以下載嗎 (短篇)
234.雪　肌 (長篇)
235.特首小姐你早 (長篇)
236.葡萄成熟的時候 (長篇)
237.此一時也彼一時也 (散文)
238.剪刀替針做媒人 (長篇)
239.乒　乓 (長篇)
240.恨　煞 (長篇)
241.孿　生 (長篇)
242.漫長迂迴的路 (長篇)
243.忘記他 (短篇)
244.愛情只是古老傳說 (長篇)
245.迷　藏 (長篇)
246.靈　心 (長篇)
247.大　君 (長篇)
248.眾裏尋他 (長篇)
249.吻所有女孩 (長篇)
250.尚未打烊 (散文)
251.一個複雜故事 (長篇)
252.畫　皮 (長篇)
253.愛情慢慢殺死你 (長篇)
254.你的素心 (長篇)
255.地盡頭 (長篇)
256.有時他們回家 (長篇)
257.禁　足 (長篇)
258.謊　容 (長篇)
259.不二心 (散文)
260.潔如新 (長篇)
261.從前有一隻粉蝶 (長篇)
262.三思樓 (長篇)
263.四部曲 (長篇)
264.德芬郡奶油 (長篇)
265.君還記得我否 (長篇)